2025年日本はなくなる

コロナ後にやってくる、この国のヤバすぎる真実

Tokyo DD Clinic院長
内海聡

廣済堂出版

はじめに

「猿（日本人）を『虚実の自由』という名の檻《おり》で、我々が飼うのだ。
方法は、彼らに多少の贅沢《ぜいたく》さと便利さを与えるだけでいい。
そして、スポーツ、スクリーン、セックス（３Ｓ）を解放させる。
これで、真実から目を背《そむ》けさせることができる。
猿は、我々の家畜だからだ。
家畜が主人である我々のために貢献するのは、当然のことである。
そのために、我々の財産でもある家畜の肉体は、長寿にさせなければならない。
（化学物質などで）病気にさせて、しかも生かし続けるのだ。
これによって、我々は収穫を得続けるだろう。
これは勝戦国の権限でもある」

これは、ハリー・Ｓ・トルーマンの言葉だといわれているものです。

「私は宣戦しない。戦争をつくるのだ」という有名な言葉を残したフランクリン・ルーズベルトの死去後、１９４５年４月からアメリカの第33代大統領になったトルーマンは、広島や長崎の原爆の惨状について報道することを一切禁止し、被ばく治療を徹底的に妨害した人物です。それはＡＢＣＣ（原爆傷害調査委員会）のいきさつであり、漫画『はだしのゲン』にも描かれていることであり、２０１１年からの福島放射能問題で同じように行われていることでもあります。彼は白人至上主義者団体のＫＫＫ（クー・クラックス・クラン）への加入履歴があることでも知られています。

このトルーマンの言葉とされているものの詳細な原文がどうであったかは、私には関係ありません。大切なのは戦後まもなく想定したアメリカの思惑通り、同国は「日本は、世界で最も植民地化に成功した国だ」と日本をとらえていて、実際、今の日本はその通りになっているという事実です。「イエローモンキー」という言葉にすべてはあらわされています。

これは、まさに**支配者と奴隷の構図**といえるでしょう。「奴隷」であり「家畜」でもある日本人には、夢中になりやすいスポーツとYouTube（昔はテレビでしたが）やＫ－ＰＯＰと性産業だけ与えておけば、大衆の関心は政治に向かわずに済むだろう、という考えです。

それでいて、見せかけ上は長寿の国のように整えつつ（日本の平均寿命が長いこと自体ウソです）、奴隷や家畜が生産するものは長い時間をかけてすべて残らず回収する、まさに畜産そのものであり、このアメリカの政策が日本が滅亡に向かうきっかけだったともいえます。

そして、２０１１年の東日本大震災での原発事故以降、状況はさらに悪化しました。中国の台頭も関係していますが、諸外国における日本の「うま味」はほぼすべて吸い尽くされつつあり、日本という国はますます衰えていっています。

このままでは２０２５年に日本がなくなるのはいよいよ避けられないだろう、というのが現状です。

じつは私は今から約10年近く前から、講演活動や作家活動などを通じて「２０２５年の日本滅亡説」をいい続けてきました。専門分野である医療や精神医学の話はもちろん、食や環境の話、社会構造や陰謀論まで多岐にわたってさまざまなことをお伝えしてきたつもりです。

本書ではそうしたことの総集編、つまり、「なぜ日本は２０２５年になくなるのか？」という理屈や根拠についてあますところなく書いています。そこには、数年前から騒動がはじまった新型コロナウイルスやワクチンの問題もひとつの要因になっています。

ほぼすべてのことが、２０２５年の日本滅亡に向かっている今、我々にできることはなんでしょうか。

それは、**さまざまな情報に踊らされることなく、考え方の基本や基礎を身につけることであり、そのなかで生き残る術《すべ》を探すことです。**その考え方はいわゆる陰謀論などと評されているものとは無縁であり、そんな陰謀論といわれるものにもデマが多いことを学ばねばなりません。そして滅亡に向き合う心、本書は、それをあなたが自分なりに考えられるよう書いているつもりです。

これからの日本において、闘おうとしない人間に未来はありません。いよいよ逃げることができないとわかった今、闘うか滅ぼされるかの二者択一なのです。

今ここで闘うか、それとも何もしないまま２０２５年に滅ぼされるか――あなたなら、どちらの道を選びますか？

その自由は、あなたがこれからページをめくる手にすべて委ねられているのです。

2025年日本はなくなる　目次

第1章

新型コロナウイルスとは、なんだったのか？
——すべての茶番劇は〝たくさんのウソ〟からはじまった

第2章 新型コロナワクチンによる「超管理社会」の到来

——ワクチン騒動は日本をどう変えたか？

第3章 2025年日本がなくなる本当の理由
——こんな人たちが日本を滅亡へと導いている

第4章

これだけヤバすぎる問題を抱えている日本
——日本が人口減少率ナンバーワンの国になった理由

第5章

食品安全神話の崩壊とTPP、スーパーシティ法案の罠《わな》

――この国だけが直面する本当の危機とは？

第6章

改憲と緊急事態条項による完全奴隷化計画

——国民主権の根本が崩れていく

第7章

滅亡する日本で生き抜いていくためにすべきこと

——これからのサバイバル時代をどう生き残るか

第1章

新型コロナウイルスとは、なんだったのか？

——すべての茶番劇は〝たくさんのウソ〟からはじまった

新型コロナウイルスにまつわる情報は ウソだらけだった！

私は新型コロナに関しては２０２１年に『医師が教える新型コロナワクチンの正体』（ユサブル）、２０２２年に『コロナワクチン 今こそ子どもを守れ』（マキノ出版）や『コロナパンデミックの奥底』（共著、ヒカルランド）を著しました。とくに最初の『医師が教える新型コロナワクチンの正体』は15万部以上のベストセラーとなり、書籍の売り上げでアマゾン全体で1位となりながら、稀有《けう》な発禁扱いとなった本です。とにかく妨害があふれ通常のコマーシャルも徹底的に邪魔されました。私が世界一の嫌われ医者であるのをあらためて証明してくれた本だったかもしれません（笑）。

さて、本書は新型コロナの解説本ではありませんので、そこにページはあまり割きたくありませんが、復習もかねてどこがどうウソであるのか振り返ってみましょう。

中国の武漢市で一例目の新型コロナウイルスの感染者が報告されたのが２０１９年12月。あれからすでに3年以上の月日が経とうとしているものの、世の中の右往左往ぶりは3年前となんら変わっていません。それどころか、恐怖感をやみくもに煽《あお》ったり、差別意識を植え付けたりするような情報がマスコミやネットによって次々ともたらされ、社会はますます窮屈になる一方です。

もちろん社会のせいだけではありません。

私は医療や薬物、食べものや環境、政治といったことに関する問題を啓蒙啓発する活動を15年近く続けています。講演やセミナー、ＳＮＳなどでも発信してきました。そういった私の活動になんらかの形で触れた経験のある人は１００万人以上いるともいわれています。

ところが、年月を重ね、私と関わる人が増えたにもかかわらず、多くの人たちに真意が伝わっている手応えを感じることができません。むしろ、まったく刺さっていないことにこれからの日本の滅亡を確信する次第です。

絶望的な環境において、唯一学びとれることがあるとするなら、基本とは何かを見直し、自分の頭で考え、自分の生き方を見直す選択ができる、ということだというのに、それすら放棄してしまっている人のなんと多いことか。

そして、「もう講演をしても意味がないな」「ネットでさまざまな情報を流してもムダなんだな」と私が感じていたところにとどめを刺したのが、この長引く新型コロナの問題でした。

というのも、私がこういう活動をしていると、いろいろな業界や分野で働く人とお会いする機会が少なくありません。ところが、**第一線で活躍している彼らですら、その約8割は新型コロナ騒動に潜む問題をまったく理解できていない**、というのが私の受けてきた印象だったからです。

「原発は放射能の被ばくが危ない」と主張する脱原発派なのに効きもせず危ない物質が入っているワクチンを打っている人や、自然食品のショップに足しげく通うオーガニック派なのに遺伝子組み換え要素を持つワクチンをなんら抵抗なく打っている人はその代表だといえるでしょう。新型コロナはもとより、医学や社会の基本的な知識があれば、そういう矛盾した行為は絶対にしないはずだからです。

「私たち、別に間違っていないでしょう？」と思い込んでいる彼らには、新型コロナに隠されたウソに気づこうとする意識もないわけです。もちろん、新型コロナの情報はまったく入ってこないわけではなく、テレビやネットで見て概要はわかったつもりになっているケースがほとんど。ただ、基本の考え方を身につけてはおらず、枝葉だけに注目して情報をつまみ食いをしている状態だということに気づいていないのです。たぶん深層心理的に恐怖に縛られ尽くしているのでしょう。

たとえば、「感染症は怖いもの」というところでとどまるのではなく、感染症の歴史という根幹の情報の基本をおさえていれば、「ああ、また感染症の歴史が繰り返されているにすぎないな」と俯瞰《ふかん》してとらえることができるはずだし、陰謀論に興味があったのならまたそれが繰り返されていると理解できるだろうし、テレビがウソつきだとちょっと頭にあったなら、また同じだと思えたはずなのです。すると、新型コロナに対してやみくもに騒いだり、怯《おび》えたりする必要もなくなるでしょう。

そんなシンプルなからくりにさえ気づかないというか、気づこうとしない人たちに、こちらから何かを投げかけても何も返ってこないのは当たり前なのではないか、と虚しく感じるようになったのでした。

新型コロナにまつわる代表的なウソのリスト

次に挙げたのは、新型コロナにまつわる代表的なウソです。詳しくは他の拙著をお読みいただきたいですが、これらはメディアや政治、権力者の手によって都合よく操作された情報をうのみにしている証左《しょうさ》かもしれません。

【新型コロナのウソ一覧】

- PCR検査がウソ
- マスクがウソ
- 自粛で防げるがウソ
- ワクチンで防げるがウソ
- 感染者数がウソ
- 死亡者数がウソ
- 抗体検査がウソ
- 海外の死亡者数がウソ
- 後遺症がウソ
- 手洗いで防げるがウソ
- 日本を守る姿勢がウソ

（共産主義的な超管理社会をつくるのはホント）

私がとくにお伝えしたいのは、ポイントになるものはおもに次の4点だということです。順番に見ていきましょう。

新型コロナのウソを解明するポイント１
ＰＣＲ検査のウソを見抜け

新型コロナの問題を理解したいと思った時、最初に考えるべきはＰＣＲ検査についてです。ＰＣＲ検査がウソであることを理解できない限り、新型コロナに関する正しい情報を得ることは不可能といっていいでしょう。

そもそも**ＰＣＲ検査で陽性という結果が出たとしても、それは新型コロナに感染したということとイコールではありません。**このことは、厚生労働省やＷＨＯ（世界保健機関）も明言しています。

そして、もっと大事なことは、**ＰＣＲ検査では新型コロナに感染しているかどうかを特定できるはずがない**ということです。これは、陰謀論でもなんでもなく、初歩的な科学といえます。

「ＰＣＲ検査とは何か？」を端的に説明すると、ウイルスの遺伝子の一部を切り取ってそれを増やし、そのなかに核酸が含まれていないかどうかを検証する増幅法。この増幅法は検査法ではありません。

もう少し詳しくお話ししましょう。

ＰＣＲ検査では、ＤＮＡやＲＮＡに対してプライマーと呼ばれる目印のようなものを設定します。プライマーのついたコピーをどんどん増殖させていき、ウイルスのＤＮＡやＲＮＡが存在したかを探し出す技法です。累乗で増えていくため、コピーは数時間で１００万倍以上に増殖します。

検査においては「交差反応」「偽陰性」「偽陽性」という問題がつきまといますが、これについては本筋ではないので割愛します。この問題により、**新型コロナウイルスと似たようなウイルスであればＰＣＲ検査では陽性になる可能性がある**わけです。ただこれでさえ、現在の新型コロナ茶番にとっては大きな問題ではありません。

鼻毛にくっついたウイルスで陽性判定のウソ

実は、ＰＣＲ検査に頼っていることの大きな問題点は交差反応の問題ではないのです。ご存じのようにＰＣＲ検査では、鼻や喉といった粘液をぬぐって調べるケースが多いと思います。この時、外表面に付着しているだけのウイルスを拾ってしまうことが考えられるのです。

たとえば、呼吸などで吸い込んだ新型コロナウイルスが鼻腔内や口腔内にくっついていることも少なくありません。ところが新型コロナウイルスが鼻毛にくっついたとしても、人間には免疫機構が備わっているため、ほとんどの場合は感染することはないのです。

また、細菌がウイルスを食べてしまったような状態を「バクテリオファージ」といいます。このバクテリオファージのような、感染の危険がないウイルスの死骸であってもＰＣＲ検査は拾ってしまうため、陽性判定が出る可能性があるのです。また、鼻水も免疫によってウイルスを倒す物質が入っていますが、鼻水のなかにいるウイルスも拾います。もちろん、これらが「新型コロナに感染した」とはいえないのは当然のことでしょう。

ここで明確にしておきたいのは、ウイルス感染とはどういうことか、という点です。いわゆるウイルス感染とは、身体の免疫や体力が低下している人などの体内に、バリアをすり抜けてウイルスが侵入してきた後、さらに免疫細胞が負けることで、身体のなかでウイルスが猛烈なスピードで増殖する状況を指します。

感染の正しい状況を知ると、ＰＣＲ検査で陽性が出た状態とはまったく別の話だということがおわかりいただけると思います。

そして２０２０年になって、ＷＨＯと政府と御用学者、そして医学界は最凶最悪の病名をつくり出しました。それが**「無症状感染」という偽病名**です。

あなたは２０１９年より以前に、「あなたは何の症状もないがＰＣＲ検査しておいた。結果陽性だったのであなたはインフルエンザだ。だから明日から1週間仕事に来ることも外に出ることもできない」といわれたことがありますか？　当然そんなことはなかったはずです。２０２０年以前も以降もわかっていることですが、症状が出ていない人は感染を周囲に広げるリスクファクターではないのです。

なぜなら、感染とはウイルスがいるかどうかではなく、免疫によって決定されるものだからです。当然、マスクに意味があるとするなら、「多くの症状を持っている人だけがマスクをすること」が医学の常識でもありました。

研修医時代に学んだ「PCR検査に頼るな」という基本

ちなみに、大学病院での研修医時代、教授から「よく覚えておくように」と教わったことのひとつに**「PCR検査に頼ってはいけない」**というものがあります。国家試験を受験したばかりの新人研修医にとって検査は絶対的なものだと刷り込まれていたので、当時、教授の教えは非常に印象的だったのを覚えています。

現在、新型コロナウイルスの影響で、「まずＰＣＲ検査ありき」という風潮がまかり通っていますが、ウイルス感染の診断をする際、本来は問診が最優先で、症状の有無から推測が始まり、渡航歴に関することなども尋ねます。

そうやってヒントを得て診断のあたりをつけながら、次は採血をするのが一般的でしょう。侵襲《しんしゅう》性の少ない採血検査をすれば、ウイルス感染なのか細菌による感染なのかを知る手がかりになるからです。ある程度症状が重ければレントゲンを撮り、肺炎を患っていれば、それがウイルスによるものか細菌によるものかを慎重に検討していく段階となります。それと並行してＰＣＲ検査を行います。

理想論でいうのならＰＣＲ検査はウイルス数種類に対して行うのが通例です。世の中に存在するウイルスをすべて検査することは不可能なため、有名なウイルスを中心に「感染しているのはこのあたりのウイルスか？」という調子で除外診断するわけです。具体的には、Ａ、Ｂ、Ｃ、Ｄ、ＥというウイルスのＰＣＲ検査をした結果、Ａ～Ｄがすべて陰性でＥが陽性だとしたら、「Ｅのウイルス感染の可能性が高いでしょう」という診断にいたるのが除外診断です。

　このように、**医者が医学の初歩として誰でも教わってきたことは、真っ先にＰＣＲ検査をすることでもなければ、ＰＣＲ検査だけに頼る方法でもありません。**

　２０２１年には厚生労働省から「インフルエンザなどほかの検査をしてはならない」という通達が出ていました。これは明らかに誤診を招きます。つまり今の感染に関わるすべての数はウソっぱちなのです。

　この数年、共産党や左翼系の政党および、有名な似非《えせ》ジャーナリストやコメンテーターがしきりと「ＰＣＲ検査の数を増やせ」と訴えていましたが、いくら検査数を増やしても意味がないどころか、医療崩壊を招くだけの結果になってしまうことは明らかです。

　ここで述べたことはすべて医学の初歩的知識です。現行のやり方がいかに意味なく、むしろ罪深いものであることがおわかりいただけるのではないでしょうか。

新型コロナのウソを解明するポイント2
マスクで感染は防げない

　結論から先に述べると、マスクのいちばんの問題点は、「ウイルス感染を防げない」ということです。医学的に見ても、それがどのような素材でできていたとしてもマスク自体の網目はミクロレベルではスカスカで粗《あら》いことは否定できません。すると、空気を通すことはもちろん、空気中のウイルスも素通りしてしまうため、完全にブロックすることなどできないのです。そして飛沫感染（つばなどの拡散）を防ぐという建前でやっていましたが、もはや前提が崩れているのが現状です。

　少し前までは「飛沫感染」とされていた新型コロナの常識は、今は「エアロゾル感染」（空中に浮遊するウイルスを含むエアロゾルを吸い込むこと）ということになっています。私に言わせれば「何を今さらそんなことを言い出して……」とあきれるしかありません。

「人にうつすのを防ぐためにマスクをつけなさい」という論調も間違っています。熱も症状もない場合は当然ですが、仮に少量のウイルスを持っている人の場合でも、その人がマスクをつけた時と外した時で誰かにうつすリスクは変わりません。現に、中国の武漢で行われた１０００万人規模の調査結果でも、「無症候感染者による蔓延《まんえん》はまったく発生していない」と報告されています。

　要するに、**マスクはつけても外しても感染のリスクは変わらない**ということ。無症状の一般人がマスクをつけること自体にウイルスを防ぐ効果はなく、効果があるとすればいくつもの症状がありウイルスを多数抱えている患者がマスクをした時だけ、少しリスクを下げるかもしれない、というのが本当のところです。

雑菌やウイルスの温床となっているマスクの実態

「だったら、マスクをつけるのも外すのも個人の自由では？」と思うかもしれません。

ところがこの安直な考えも問題です。なぜなら、マスクをつけることによって多くのリスクを生むことを理解していない考えだからです。

たとえば、雑菌やウイルスを繁殖しやすいという点。一般的な雑菌やウイルスは、だいたい長くて3時間ほど空気中にいることで死滅するとされています。これが、床や壁についたままだと約3日間、雑菌やウイルスが保持されることがわかっています。

では、それらがマスクについたままではどうでしょう。じつは、マスクについたままの雑菌やウイルスは、なんと約1週間もとどまったままの状態でいることがわかっています。

これはつまり、**マスクをしていることで感染にかかりやすくしているようなもの**です。

レストランで用意されているマスクケースなども問題です。雑菌やウイルスだらけのマスクを、素手でご丁寧にケースに入れてそのまま放置し、またその手でマスクを触ってつける……よほどウイルスに暴露されたいのでしょう。もはやこの国で科学というものの初歩はどこかに飛んで行ってしまいました。

そもそもマスクに効果があるのであれば、99%以上の人がずっと何年もマスクをし続けてきたのだから、感染拡大などすぐに終わらないといけません。このこと自体が、最もマスクに効果がなく逆に感染を長い間広げ続けてきた、と証明してしまっているのです。

長引くマスク生活は ダメージを引き起こす

マスクはほかにも大きなリスクをはらんでいます。それは、マスクをつけた時に息苦しさを感じることでわかるように、**体内の酸素濃度が下がる**点です。

酸素濃度が下がると、人間の体内におけるミトコンドリアの活性も下がります。人間の酸素濃度が定期的に下がると、発がんリスクが上がることも科学的にわかっています。

ほかにも危《き》惧《ぐ》する点があります。それは、「**社会的な意味でマスクをつけることの弊害**

が少なくない」ということです。

マスクは顔を隠し、自らの姿を隠します。犯罪者がマスクやサングラスで身をやつして悪いことを行うように、顔を隠すことで、自分を偽り、ウソをつき、ごまかすことへのハードルが下がるようになります。また周りの人の行動しか気にならなくなります。いわゆる同調意識というやつで、みんなが外すまで外さないというものです。

もともと歴史を紐解《ひもと》いていくと、かつてマスクは奴隷をしゃべらせないためにつけるアイテムだった、という説もあります。マスクをつけ続けることでコミュニケーション能力がどんどん下がっていく、という話もよく聞きます。

「マスクをつけていると、人から表情を読み取られなくていい」「マスクをつけていることで、人に顔を見せずにすむ」「マスクをつけているから、化粧をせずにいられるので楽」といったマスクをつけることのメリット（のように感じられること）が先行すると、コミュニケーションはどんどん衰退していくでしょう。

2022年の秋になって、厚生労働省はマスクを屋外では外そうとか着用を緩めるよう通達し、あのウソつきテレビでさえ海外との比較を報道しはじめています。海外ではほとんどの人がマスクをしないし、していたほうが責められるくらい。しかし、ほとんど誰も耳を貸さない末期状態です。このことは後述する「2025年日本滅亡説」のひとつの布石となっているのです。

新型コロナのウソを解明するポイント3
「自粛で防げる」を信じるな

新型コロナ騒動によって、世界のなかでもとくに日本が衰退したのは事実です。その**日本の衰退を助長したのが「自粛」だった**のだと私は確信しています。

「酒を飲むな」「外に出るな」「出勤者を減らせ」「学校でイベントをするな」といった自粛には、はたして本当に効果があったのでしょうか。

日本だけでなく、世界でもロックダウンという形で自粛をすることで感染者を増やさない対策をしている国がありました。ところが皮肉なことに、命を救うはずのロックダウンが、命を奪う結果を招いたという事実が明らかになっています。

顕著な例は、イギリスでのケースでした。イギリスでは、イングランド、ウェールズ、スコットランド、北アイルランドなど地域によって異なるロックダウンによる封じ込め対策を行っています。とくに感染者数の多かったイングランドの最初のロックダウンでは、２０２０年３月から外出制限や営業制限を中心とした厳しい封じ込め対策が進められてきました。

ところが数字で見ると、「新型コロナ以外の原因」で命を落としている人も少なくありません。**新型コロナが蔓延し、ロックダウンに踏み切ってなお、「新型コロナ以外の原因」で亡くなる人が増えているという事実**は何を示しているのでしょうか。

もしも「新型コロナ以外の原因」が、精神的苦痛のために自殺者数が大幅に増えたり、経済的逼迫《ひっぱく》で倒産会社が激増していたりした結果の死だとしたら、それこそ大問題です。

そんな政府の理屈に従えば、毎年季節性インフルエンザで緊急事態宣言を出さないといけなくなるのではないでしょうか。

ＷＨＯはロックダウンを推奨していなかった

２０２０年10月、ＷＨＯのcovid-19特使のデビッド・ナバロ氏は、テレビで「このウイルスを制御するおもな手段として、ロックダウンを推奨しません」と宣言。「唯一ロックダウンが正当化できるのは、疲れ切った医療従事者を守るために時間を稼ぐ時のみです」といったことを世界のリーダーに向かって発信しています。これは、WHOもロックダウンに効果が見込めないと考えたからにほかなりません。

アメリカでも一連の新型コロナ騒動について、冷静かつ懐疑的に見ている識者がいます。

2021年5月に私は、故ジョン・F・ケネディ元大統領の甥《おい》である、ロバート・ケネディ・ジュニアと新型コロナウイルスについて対談する機会がありました。彼の主張するロックダウンの定義は極めて明確で、それは**「感染症のパンデミックに際し、病弱な人や実際に感染している人を隔離すべきであって、健康な人を閉じ込めたりするものではない」**というものでした。

じつは、日本でも「感染拡大の収束に外出自粛や休業要請による効果はなかった」とある人物が明言したことがニュースになりました。

2020年6月、新型コロナウイルス対策本部専門家会議にオブザーバーとしてはじめて参加した大阪大学核物理研究センターのセンター長・中野貴志教授は、自粛や休業の効果がないことを明言。大阪府の吉村洋文知事による「ピークアウトに外出や営業自粛の効果はあったのか？」との質問には、「データを見る限りは、相関が少ない」「大阪の推移を見る限り、それとは関係なく収束したと考えるほうが自然」と回答しました。

中野教授は同じ席で、自粛や休業といった政策に対して**「大切なのは冷静な目でデータ蓄積を見返すこと」**と語っています。これは数字のウソを見抜く目を養う必要性があることを教えてくれる重要な言葉だと思います。

「テレビウイルス」は日本人ならではの病気

話は少しそれますが、**過剰に煽って恐怖と管理ばかりしようとしている社会に成り下がる要因のひとつは、マスコミにこそある**と私は考えています。

テレビで取り上げられる新型コロナの話題といえば、ほとんどが感染者数について。感染者数が増減するたびに一喜一憂してみせるのが定石《じょうせき》となっています。

しかし、すでに述べてきたように、死亡者数や致死率、感染者数ふくめ、検査や診断の仕方が医学の初歩を守っていないのだから、その数字自体がウソになっています。数字の正確性は誰にもわかりませんが、これまで発表されてきた死亡者数や致死率や感染者数

世界各国における組織・制度への信頼度（2017～20年）

信頼度	日本	米国	英国	ドイツ	フランス	イタリア	スウェーデン	（参考） ミャンマー
90%台								慈善団体
80%台	軍隊 （自衛隊）	軍隊	軍隊	警察			警察	宗教団体 テレビ 環境保護団体 政府 国連
70%台	警察 裁判所		警察		警察 軍隊	警察 軍隊	裁判所	議会 行政 労働組合
60%台	新聞・雑誌 テレビ	警察 慈善団体	環境保護団体 裁判所	裁判所 慈善団体	環境保護団体		環境保護団体 国連 議会 行政	政党 大企業 警察
50%台		裁判所 環境保護団体 宗教団体	行政	環境保護団体 行政	裁判所 行政 国連	環境保護団体 宗教団体	軍隊 労働組合 大企業 政府	裁判所 新聞・雑誌
40%台	大企業 行政 環境保護団体 国連	国連 行政	国連	軍隊 労働組合 EU 国連	EU 大企業	国連 大企業	EU 宗教団体	
30%台	政府 労働組合 慈善団体 議会（国会）	政府 労働組合 大企業	大企業 労働組合 議会 EU 宗教団体	議会 政府 新聞・雑誌 テレビ 宗教団体	宗教団体 労働組合 議会 政府 新聞・雑誌	裁判所 EU 行政 新聞・雑誌	新聞・雑誌 政党	軍隊
20%台	政党	新聞・雑誌 テレビ	政府	大企業		議会 労働組合 政府		
10%台		議会 政党	政党 新聞・雑誌	政党	政党	政党		
10%未満	宗教団体							

（注）各国の全国18歳以上男女約1000～2000サンプルの回収を基本とした意識調査の結果。日本、ミャンマーの調査年次はそれぞれ2019年、2020年。信頼度区分は、各組織・制度に関し「非常に信頼する」と「やや信頼する」の回答率（わからない・無回答を含む合計に占める）の計による。欧州価値観調査（European Values Study）との共同調査の対象国は、慈善団体、テレビがないなどの項目の違いがある。
（資料）世界価値観調査（World Value Survey、2021.1.29）

の、6割から9割はウソだといえるでしょう。

新型コロナウイルスは「テレビウイルス」と呼ばれることがあります。これはひとえに、**テレビをはじめとするマスコミが垂れ流し続ける新型コロナウイルスのウソの報道を、日本人が盲目的に信じすぎる**ことに起因しています。

世界各国の国民と比べ、日本人がどのくらいマスコミを信じているかは、先進国7ヵ国を中心にデータ収集している最新の「世界価値観調査」によっても明白です。「新聞・雑誌・テレビを信頼できる」と回答した割合は、ほかの先進国が5割以下だったのに対し、日本だけは7割近くとずば抜けて高かったのです（前ページの図参照）。

本来、新聞や雑誌、テレビといったマスコミは、政治や権力に左右されることなく、真実を追求する立場だったにもかかわらず、今は「マスゴミ」とすらいわれるほど。安倍晋三政権以降はさらに政府とマスコミが結託し、自分たちに都合のいい情報を操作するようになったのは誰もが知るところでしょう。

個人的な意見をいうなら、新型コロナのウソを流し続けてきた番組は打ち切りにしたり、識者や御用学者は犯罪者として逮捕するレベルです。ウソだらけのテレビをはじめとするマスコミを信じるのか、時には突拍子もない情報に沸くソーシャルメディアを信じるのか、今の日本人はそのどちらかを行ったり来たりと迷走しているように見えてなりません。

新型コロナのウソを解明するポイント4
「ワクチンは効く」と考えるな

私が10年以上述べてきたこととして、**新型コロナウイルスに限らず、すべてのワクチンには効果がない**というのがあります。医者のなかでも私より強力なワクチンアンチはいないのではないかと思います。

ワクチンがいかに効果がないかということについては、あらためて次の章で詳しく考察していきます。

まず、ワクチンに効果がない理由を説明する前に、ここでは免疫系のことについて簡単にお話をする必要があります。免疫系の仕組みを理解していると、なぜワクチン接種が意味のないことなのかがわかりやすくなります。

そもそもの話になりますが、人間はワクチンを打たなければ健康を保つことは不可能なのでしょうか。答えは否。まったくそんなことはありません。なぜなら、生物には免疫系の働きが備わっているからです。

生物は、自分の体内に病原菌やウイルスといった自分以外の物質が侵入した時や、あるいは自分の細胞ががん化して異常な細胞になった時に、それを認識して攻撃することで、自分の身体を病気から守る仕組みを持っています。

そして次ページの図を見てもわかるように、病気を防ぐ免疫系は免疫細胞が単体で戦っているのではなく、重層的に働きます。最終的に病原菌が侵入してくるまでに何段階もの関門が存在している、ということです。

重要なのは、粘膜免疫についてです。

哺《ほ》乳《にゅう》類の身体はよくチクワにたとえられます。チクワの外側が皮膚で、穴の内側の空気に触れている部分が粘膜です。そんな粘膜の表面積は、腸などの小さなひだを伸ばすとトータルでテニスコート約1・5面分にもなるとされています。

病原菌が体内に侵入しようとしても、それらのほとんどは粘膜を通って入ってこようとするため、粘膜免疫が正常に働けば、くしゃみや鼻水、咳《せき》や嘔《おう》吐《と》、下痢などが起こるようになります。くしゃみや鼻水、咳や嘔吐、下痢などは、病原菌を体外に排出する免疫反応

病気を防ぐ免疫系の働き

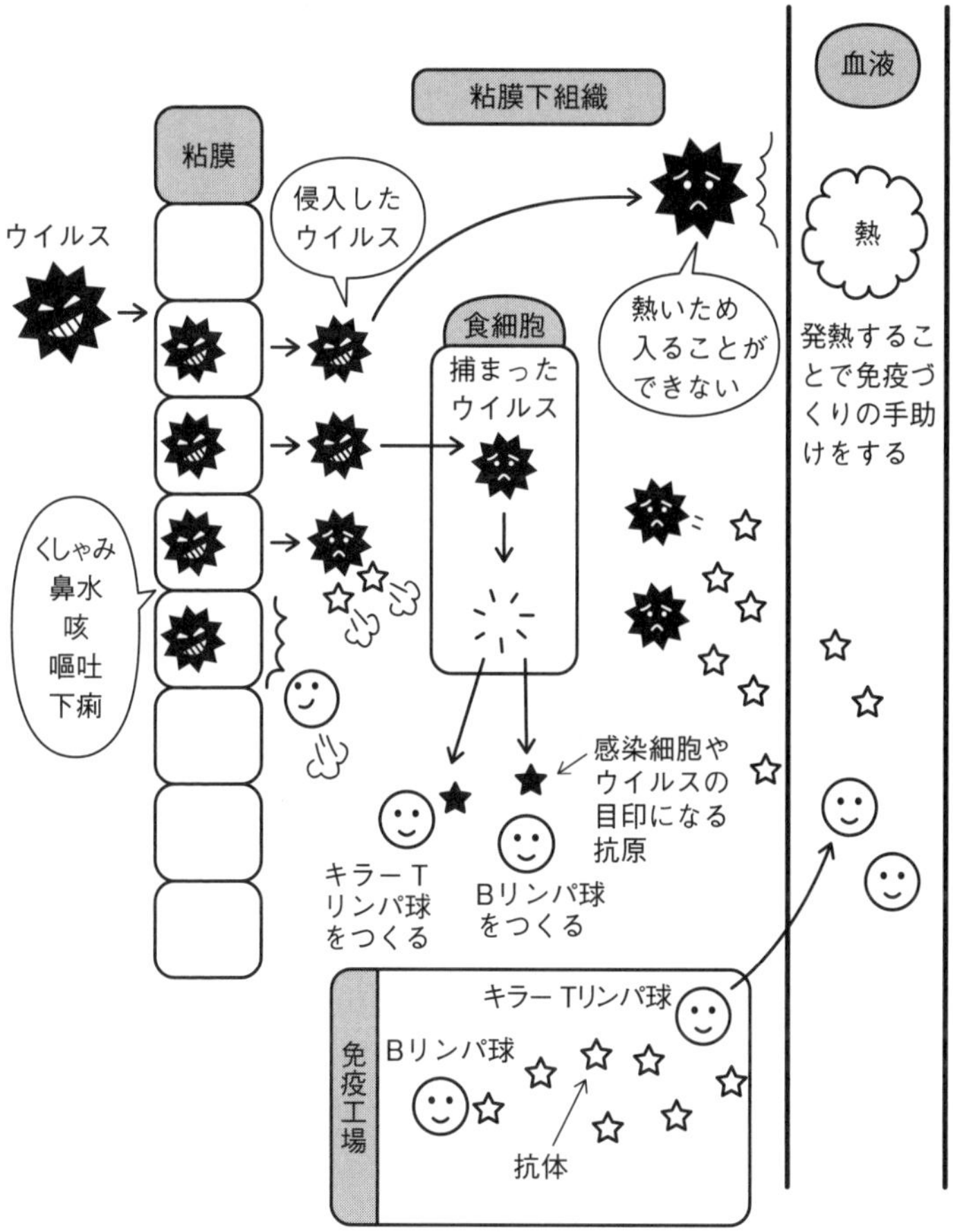

リンパ球は、細胞のなかへと逃げ込んだウイルスを細胞ごと破壊する

で、ここでしっかり防御し私たちの身体を守っています。また、ウイルスなどを認識することで次のウイルスの侵入を防ぎやすくなります。

しかし、ワクチンはこの経路をまったく通りません。粘膜を介さずに注射をすることでダイレクトに身体に入ってくるのです。

「人工的につくられたものを」「ウイルスとの戦いのプロセスはないまま」「アジュバンド（増強剤で無理やり鞭《むち》打って）」「粘膜も通らずに」「全身に情報を伝えることなく」ダイレクトに体内に注射されても、これはまったく免疫ではないのです。

はっきりいえば、世界中のあらゆる医学者、研究者がこのことを勘違いしています。たぶんこんな「オカルト」なことをいっているのは私だけなのでしょうが、ワクチンを打って抗体検査をして陽性でも、それは意味がある抗体ではありません。症状が軽くなることもありません。だから打っても打ってもみんなかかっており、いつまでもパンデミックとやらが終わらないのです。

次の章で、具体的に新型コロナウイルスのワクチンがいかにウソだらけだったかについて暴いていきます。

第2章

新型コロナワクチンによる「超管理社会」の到来

――ワクチン騒動は日本をどう変えたか？

なぜワクチンは効かないのか？

「ワクチンを打ったにもかかわらず、新型コロナウイルスに感染した」という声を聞くのは珍しいことではなくなってきました。岸田文雄総理も政府御用学者の尾身茂も、ワクチンを何回も打ってコロナに感染したらしいです。そのくせ、重症化を防ぐというウソでごまかしています。

そもそも「なぜ、ワクチンが効かないのか？」という謎を解明しようとする前に、ワクチンが効くと思い込んでいることにまず疑問を持つべきではないでしょうか。

この章では、あなたが自分なりのワクチンへの考えを持てるよう、ワクチンの事実についてまとめておきたいと思います。

症状を悪化させる
ADE（抗体依存性感染増強）という現象

まず、ワクチンは感染を防ぐことはできないが重症化を防ぐのが主たる目的である、とウソを信じ込んでいる人が多いです。

表面上の情報を鵜《う》呑《の》みにしているだけの、「わかったふり系」の人に多いのではないかと思います。

実際にはワクチンを打ったほうがかえって症状が悪化するというケースはたくさんあり、ＡＤＥ（抗体依存性感染増強）がいい例です。

ＡＤＥとはワクチンの接種などによって体内にできた抗体が、ウイルスの感染や症状をむしろ促進してしまうことであり、さらに感染した免疫細胞が暴走し、症状を悪化させてしまう現象をいいます。

つまり、ウイルスに感染したくないためにワクチンを打ったものの、そのせいで感染したり、重症化したりするという皮肉な現象、それがＡＤＥです。ＡＤＥは陰謀論でもなんでもなく、医学書にもしっかり載っている現象です。にもかかわらず、２０２１年くらいからタブー視され、ＳＮＳでは検閲されるようになったので、管理主義もここまできたかと感心する次第です。

ワクチンの情報が話題になっても、ＡＤＥのリスクについては体制寄りの識者（私は「御用学者」と呼んでいます）は語ろうとしません。

「ワクチンを打つとＡＤＥの影響により、２度目、３度目、４度目と回数を重ねるほう

が、幾何級数的にリスクが上がっていく」ことはテレビと御用学者の世界では一切提示されないのです。

「サイトカインストーム」は正常な細胞も攻撃する

ＡＤＥもそうですが、ウイルスのことを学ぶ時は、免疫系の暴走「サイトカインストーム」を知る必要があります。現段階でも新型コロナウイルスの重症化の原因としてサイトカインストームが指摘されています。サイトカインストームとは、免疫の働きが暴走する事態のことです。

しかし、いちいちウイルスにかかって免疫が暴走するのでは、とっくの昔に人類は滅亡したことでしょう。なぜ免疫系が暴走するのか、ということを考えないといけないわけです。

サイトカインというのは、細胞から分泌されてさまざまな役割を果たすタンパク質の総称です。

病原菌が侵入するとＳＯＳの信号をキャッチしてサイトカインの働きが高まり、ウイルスに感染した細胞を攻撃しはじめます。

ところが、なんらかの要因によって、これらの一連の仕組みが制御不能になり、サイトカインが過剰に血中に放出されることがあります。すると、病原菌だけでなく、自分の細胞も攻撃するように免疫系の働きが暴走します。この暴走がストーム（嵐）のように急速に生じる事態がサイトカインストームなのです。

さて、なぜサイトカインストームが起こるのでしょうか？　これは第1章の最後で説明した免疫系の仕組みを思い出す必要があります。「粘膜免疫が正常に働けば、くしゃみや鼻水、咳や嘔吐、下痢などが起こるようになる」と説明しましたが、発熱も免疫系においては重要な役割を果たします。

ここで解熱剤や風邪薬を飲んでしまったとしましょう。

ご存知の通り、解熱剤は熱を下げるために使う薬。風邪薬はこれに咳止めや鼻水止めも入っています。これはつまり免疫で戦っているのに、その免疫を無理やり抑え込んでいるということなのです。

当然のことながら、その場の症状は楽になるものの、免疫細胞は無理やり頑張らなければいけない状況になり、その結果、暴走してサイトカインストームが起こるのです。つまり、**現代においてサイトカインストームは医原病がほとんど**なのです。

新型コロナウイルス騒動は、起こることが必然だった？

新型コロナウイルスのワクチンに関しては、まだまだたくさんの疑問点があります。

たとえば、ワクチンの普及の「時期」。２０２０年6月に報道されたニュースでは、厚生労働省がワクチンの実用化に関する計画を発表したことが取り上げられました。新型コロナウイルスに感染した第一例目の患者が報告されたのが２０１９年12月ですから、そこから約半年後、世の中はまだ新型コロナウイルスに関して今よりもまだ困惑している状況だったということになります。

その段階で、国はワクチンを早期実用化する「加速並行プラン」という計画をまとめた、とのこと。それは、世界中で研究開発が進むワクチンについて、日本国内では「２０２１年前半に接種開始」という目標を設定し、最終的に国民全員に接種することを念頭に、国費を投じて製造ラインを整備する、という内容でした。

私が明らかにおかしいと感じたのは、２０２０年に報道されたニュースなのに「２０２１年前半にもう接種開始」を明言した点です。

一般的にいって、これまでのワクチン開発には5〜10年間という期間が必要でした。ところが、新型コロナウイルスのワクチンは開発期間が圧倒的に短いのが特徴。なぜ、各社ともに1年足らずという急ピッチで開発を行えるのでしょうか。

じつは製薬会社のワクチン詐欺は、新型コロナにはじまったものではありません。薬害や医原病が専門である私にとっては当然のことで、わざとこういう流れを彼らはつくったのです。これまでに豚インフルエンザ詐欺が代表例ですが、何度も同じ手口で詐欺を働いてきたわけです。

そして、ついに2022年秋、欧州議会公聴会において製薬会社ファイザーの幹部が、「感染を防げるのかどうかテストさえしていなかった」ことを認めました。もちろん日本のテレビや新聞は報じませんが、向こうでは大騒ぎです。まあ、こんなことは最初の段階でわかっていたことなのです。

新型コロナワクチンと古いワクチンとの違い

なぜ、彼らはこんなことを繰り返すのでしょう。利権でありお金儲けのためであると考える人は多いでしょうが、それは表面的な解釈でしかないと考えなければいけません。

政府とマスコミは、新たに登場したオミクロン株の存在も、きわめて弱小なウイルスと発見者が述べたにもかかわらず、異常なまでに過剰に取り沙汰することで、多くの国民を恐怖に陥れました。

また、パンデミックと騒ぐのであれば、従来の不活化型のワクチンをつくったほうが早いのですが、新型コロナウイルスのワクチンは、急いでつくらなければならない状況にもかかわらず、わざわざ遺伝子合成技術を使った新技術を試みました。これもまたなぜかを考えなければなりません。

まず、新型コロナウイルスのワクチンと既存のワクチンとの違いを復習しましょう。それは、**既存のワクチンにはウイルスが入っているものの、新型コロナウイルスのワクチンにはウイルスが入っていない**という点です。

新型コロナウイルスの代表的ワクチンのmRNAワクチンには「新型コロナウイルスと思われるウイルスの一部分＝スパイクたんぱく質を、人間の細胞でつくり出すよう指示を出す遺伝子」が入っています。

ウイルスのイメージは、たくさんの糸が詰まっているゴルフボールだと思ってください。そのゴルフボールは「エンベロープ」と呼ばれる脂質の層に包まれており、そこから出ている無数の突起がスパイクたんぱく質です。遺伝子合成技術のワクチンを接種することは、「スパイクたんぱく質をつくりなさい」という遺伝子を人間の筋肉に注射する、ということです。

先ほどの免疫の基本がわかっていれば、これで身体にスパイクたんぱく質だけつくられても本当の免疫はできないことがわかると思いますが、この茶番は、mRNAワクチンを普及させることに意味があったのだと考えなければいけません。

また、スパイクたんぱく質と呼ばれるものが、本当にスパイクたんぱく質かどうかも怪しいです。

設計図がスパイクたんぱく質をつくるように設定されていたとしても、人体でその後どんな化学反応を起こすかわかりません。変化したスパイクたんぱく質もどきになっていないか？を考えるのは大事なことだと思います。

新型コロナワクチンに入っている危険な物質たち

新型コロナウイルスのワクチンには、ほかにも怪しい新技術が使われています。たとえば、日本で承認されているファイザー社やモデルナ社のワクチンに添加物として入っているポリエチレングリコール（ＰＥＧ）です。

ポリエチレングリコールは厚生労働省も発表しているように、化粧品や大腸内視鏡検査時に下剤として使用する医薬品に含まれている場合もあります。２０１８年の研究「ポリエチレングリコールとポリソルベートに対する即時過敏症」は、ポリエチレングリコールを含む製品は処方薬を含め、１０００種類以上あると報告しています。

「化粧品やシャンプー、薬といった日常生活に密接にかかわっているものなら、無害なのでは？」と思うかもしれません。

たしかに、ポリエチレングリコール自体にそれほど強い毒性はありません。ただ、新型コロナウイルスのワクチンに使うとなると、話はまったく別。ワクチンに含まれて注射され、それを身体が覚えてしまうと、ポリエチレングリコールに過剰反応してしまうようになるからです。

ポリエチレングリコールが含まれている製品を使用するたびにアレルギー反応やアナフィラキシーショック反応が起こることもある、ということになります。

そして、**おそろしいことですが、新型コロナワクチンのせいで亡くなったという、いわゆる副反応の死亡者数にはカウントされない**ことになるのです。

ほかにも公式に認められているものとして有名なところでは、堕胎された胎児の細胞です。ジョンソン＆ジョンソン社のつくっているワクチンは堕胎児の網膜組織由来の細胞を、モデルナ社のワクチンは堕胎児の腎臓組織由来の細胞を、それぞれ使用しています。これは人が人を食べる思想のカニバリズムという観点からも、リスクの可能性を探る必要があると考えます。いわゆる狂牛病やＢＳＥ（牛海綿状脳症）と呼ばれることになった病気と、同じことが起こりうるということです。

暴かれようとしている「酸化グラフェン」

ところで、もしもあなたがインターネットで新型コロナウイルスに潜む問題について調べたことがあれば、「酸化グラフェン」というワードに出くわしたことがあるのではないでしょうか。「ワクチンのなかには酸化グラフェンが入っているのではないか？」という情報が広がりを見せているからです。

酸化グラフェンとは酸化鉛のことで、黒鉛を酸化させた金属の有毒物質です。**酸化グラフェンは有毒物質なので、体内に取り込んでいいことは何もありません。**

酸化グラフェンは単独では細胞内に入ることができないため、ナノ脂質の力を借りることになります。大きく分けて4種類あるナノ脂質のうち、金属とくっつきやすくなっているイオン化脂質が酸化グラフェンを細胞内に誘導します。

すると、酸化グラフェンのようなミクロの金属を体内に入れることで、人間の身体や細胞はハイドロジェル化します。金属のアンテナであり、弱い電気を発するような状態になり、電磁波などの影響も受けやすくなります。

「ワクチンのなかには酸化グラフェンが入っているのではないか？」という情報が聞こえはじめた当初は科学的根拠に乏しく、怪しい陰謀論である可能性が高いと私自身も懐疑的でした。

情報の出どころが大学の公式発表ではない点や、指摘される酸化グラフェンの含有率が高すぎる点、判断するにはあまりに少ない情報量という点などからも信用できる話ではない、と感じていたのも事実です。

ところが風向きが変わる出来事がありました。「スチュー・ピーターズ・ショー」というアメリカの報道番組に、ファイザー社の元社員で医療コンサルタントであるカレン・キングストン氏が出演したのです。

詳しくは私のニコ生動画の番組のなかでも紹介していますが、彼女は番組のなかで、酸化グラフェンがたしかにワクチンに入っていることや、それが中国の特許だったということなどを実際の資料を見せながら暴露したのでした。

「人間とインターネットの間に酸化グラフェンという成分を導入することで、ＡＩと人間とのコネクター部品をつくり、電気伝導体を人間の身体のなかにつくろうとしている」と説明するカレン氏に、司会者のスチュー氏は「つまり、ワクチンの役割というのは、人間と５Ｇ間の接続部分をつくる成分になっていて、彼らはこれを使って人間の思考や記憶をコントロールしているということ？」と質問。それに対し、カレン氏は「思考や記憶を管理するという実用段階にまではいたっていないと思う」と述べています。私はこれに同意します。すぐにラジコンのように人間を操作できるという陰謀論に飛びつく人は多いですが、はっきりいって人体の基本もわかっておらず幼稚すぎるのです。

もちろん、ワクチンに酸化グラフェンが入っていることはイメージできています。そのうえで、**「酸化グラフェンがどこまで人体に耐えられるものか？を試しつつ、新たな科学技術を用いて人間の身体と認知能力を進化させる思想である『トランスヒューマニズム』の前哨《ぜんしょう》なのではないか？」**といった想像をしているところです。

「シェディング」について
どうとらえるか？

このような、打った人への傷害性が恐れられているワクチンですが、２０２１年後半から「シェディング（伝播《でんぱ》）」という言葉が注目されるようになりました。

これはほかのワクチンでも見られうることですが、たとえばインフルエンザワクチンはインフルエンザウイルスを呼気から排出し、ある論文ではそれが6倍に及ぶことがわかっています。

ワクチンを打った人が感染症状を広げているという理屈です。そういう事例や論文は多数あるため、新型コロナワクチンもそのような状態をつくる可能性はありました。ファイザー社の書類にも、ワクチンを打っていない他者に影響を与えることが書かれているなど、陰謀論では片づけられない問題です。

『医師が教える新型コロナワクチンの正体』を記した２０２１年春の段階では、「怖い」「怖くない」の両面の立場に立って様子を見てきましたが、どうもその後の世界の情報および現実に観察される事象では、シェディングの問題は確実になってきたかと思います。

さまざまな事例が確認されていますが、総合的に医者の目で見ていると、以下のような症状が多いかと思います。問題は、これらを「シェディングの影響だ」と証明するのがなかなか難しい点です。なにせ、ミクロの世界の話ですからね。とはいえ、自分がその症状に当てはまると思う人は、シェディングの影響を受けていないかどうか、参考にしてみてください。

【シェディングが疑われる症状例】

①数年来、風邪や熱を出したこともない人が、２０２１年６～10月くらいの時期を中心に高熱を出した

しかも、それが比較的長い間続いた。また昨今では２０２２年の１～３月あたりに４回目接種をした人が周りに多いこともありうる。いわゆる風邪やウイルス感染のように、最初は微熱で次に熱が高い時期が少しあり、その後下がってきて病後の倦怠感や体力低下などに移行する、という経過をたどらない。40度の熱が１週間くらい続くようなイメージ。

②普段とはまったく違う月経周期になった

いわゆる月経不順のようにとらえられるが、シェディングの影響とすれば、ほぼ月経

過多になり、月経と月経の間に月経もどきがくる。今まで生理周期が順調だった人が急に狂い出したという場合は要注意、いつもの月経と違う症状が付随することも多いと想定される。

③赤い蕁麻疹《じんましん》のような皮膚炎が出た。または、脱毛症状が出た

蕁麻疹はかなり広い範囲に出ることが多く見られる。蕁麻疹体質でない人が、この時期から出だしたら当然要注意だが、蕁麻疹体質であっても、これまで数年間出ていなかったのに、とくに食べものなどにも心当たりがないのに出たという人は、シェディングの影響を受けている可能性がある。また、突如脱毛症状が出た場合も、シェディングを疑う必要がある。２０２１年くらいから出だしたという場合は要注意。

④ヘルペスのような症状、もしくはヘルペスにかかった

免疫力が低下している影響かもしれないが、なぜほかの感染ではなくヘルペスになるのかは、はっきりしていない。よって、この症状はヘルペスではなく「ヘルペスもどき」である可能性がある。ヘルペスもどきなので、ヘルペスの薬が効かないことが多い。ワクチン接種が急激に増えた時期にヘルペス患者も急速に増えているので、シェ

ディングの影響は十分考えられる。

⑤喘息《ぜんそく》のような症状が出た

喘息持ちが喘息になるのは、シェディングでなくてもありうることだが、ワクチン接種が急激に増えた時期で、既往歴がない喘息症状になっている人が見受けられる。

⑥特発性間質性肺炎になった

また、今までに間質性肺炎のような症状がなく、基礎疾患もないにもかかわらず、急速に肺症状が悪化した、生活も食習慣もとくに変わっていない人がワクチン接種が急激に増えた時期で通常とは違う肺炎になった人などは、要注意。それがＰＣＲ陰性であるならば、ますます怪しいといえる。

⑦一般人があまり聞いたことがない難病を発症した

新型コロナワクチンは血栓症や心筋炎の副作用が出やすいが、同じく基礎疾患がない人が、ワクチン接種が急激に増えた時期に血栓症などになっている場合、医学的になる確率は低いため、シェディングの影響も考慮する必要がある。

私が具体的に聴取している案件と、ネット情報を加味すると、このような人が増えていると思います。そして観察していて思うのは、思った以上に重症の人が多いこと、そして**健康に気を配ったり、今まで病気などしたことがない、という人にそのようなケースが見られやすい**ということです。

また、前述の酸化グラフェンは、酸化グラフェンだけでなく水酸化グラフェンとして作用するという説もあります。水酸化グラフェンに体内で変化するとより毒性が強くなり、血管などを傷つけやすくなるというのです。理論的には十分あることですが、これらがある程度推測として「カスっていれば」、シェディングによる現象はすべて説明しうることと思います。

ここまでには私の妄想が少し入っていますが、どこかしら当たっているとするならば、**シェディングというのは軽いというものではなく、ワクチンを打っていない人に対して非常に重症化させる要素を持っている**ということです。

つまり、我々はワクチンを打たないからといって安全を維持できるわけでもなんでもないということを突きつけられており、食事、栄養、免疫その他を意識していてもダメだということを示しているかもしれないわけです。

もっといえば、ワクチンの材料や裏側を留意している人は、社会毒などへの健康問題に意識がある人ですが、そのような人のほうが重症化しやすいかもしれないわけです。これは前述したスパイクたんぱく質がウイルスではないため、身体が免疫処理をしてウイルスを殺すのとは違う処理をしようとするからです。

アレルギーのイメージに近い感じですが、**身体の栄養状態が高く解毒力の大きい人のほうがシェディングで悪影響を受けてしまうかもしれない**ということです。空中からやってくるミクロの物質を防ぐのは困難であり、ウイルスがやってくるのを防げないように、コロナワクチンによるスパイクたんぱく質も防げません。これ、どうしようもありませんね。

シェディングについて根本的に防ぐ方法はありません。人々がワクチンを打つのをやめない限り問題は解決しないし、そんなこと求めるのは不可能でしょう。我々はそんな毒漬けの中で生きていくしかありませんが、栄養状態をひたすら上げるのはいいとは限らない（とはいえ日々気にするのは当然）理屈でしたから、私はシェディングの対応について栄養療法や漢方およびハーブを用いた方法論を用いていません。

当方の病院、TokyoDDCでは、ホメオパシーなどの古典医学で量子医学作用が期待できるものを利用し、私が関わる関西にある薬害研究センター関西支部ではバイコムというドイツの機器を使って、シェディングのための相談窓口を設置しています。気になる方はお問い合わせいただければと思います。

そして私が一番危惧しているのが、シェディング死なのです。

なぜか?を考えるときに後述する超過死亡のことを思い出さないといけません。2022年になって超過死亡のスピードがさらに速くなっていますが、一般的にはワクチンによる死亡といわれています（もちろん御用学者は火消しに必死です）。しかし、私はワクチンだけでなくシェディング傷害死もかなり含んでいるととらえているのです。単にワクチン問題だけで片付けていいのかを考えてしまうわけです。

それでもイベルメクチンにすがりたい人へ

さて、「新型コロナ詐欺」といってもいいほど有象無象の情報が入り乱れるなか、一定の時期が過ぎたあたりから、「イベルメクチンというクスリが効くらしい」という噂がなぜか広まりました。

薬害や医原病を扱う専門家としての視点でお伝えすると、「こんなウソを信じてイベルメクチンに飛びついている人は、新型コロナウイルスをはじめ、世の中に出回っているさまざまな情報について、基本や基礎を知ろうとしない人なのだろうな」とあきれるばかりだということです。

ご存じの通り、**イベルメクチンは動物用の駆虫剤であり、ウイルスのための薬ではありません。**獣医を中心に処方されてきた、いわゆる「虫下し」であり、抗生物質の親戚《しんせき》のような薬で、さまざまな副作用もある劇薬。日本ではストロメクトールという名前で知られる保険適用薬です。

イベルメクチンは安全性が高い薬と謳《うた》われていますが、そんなことはありません。獣医などが容量をしっかり規制するので安全性が高いように思うだけです。「どのくらいの量を、どのくらいの期間、飲む必要があるのか？」という加減が非常にデリケートな薬で、ネット上で手軽に入手したり飲んだりすべき薬ではありませんが、もうどうしようもありませんね。新興宗教にハマったかのような神頼みの人たちばかりです。

では、なぜ「イベルメクチンというクスリが効くらしい」という噂が広まったのでしょうか。ひとつには、発展途上国を中心にイベルメクチンを試用したところ、新型コロナウイルスの患者数が減ったことが挙げられているようです。

発展途上国は、比較的貧しい地域が多く、廉価で入手できるイベルメクチンであれば試せる環境にあります。その際のデータが論文として世に出て、神がかり的な話として広まったのではないかともいわれています。

ただ、そのデータや論文はかなり懐疑的だというのが最近の一般的な見解です。御用学者ですら同じです。専門家によるチェックである査読が行われる前のものも多く、データの捏造《ねつぞう》も指摘されたり、医学誌が掲載を取り下げたりする事態も生じているほどです。

そもそもイベルメクチンはウイルスの薬ではありません。「医原病を引き起こさない」という意味では正しいかもしれませんが、そうであるならビタミンCなどと同じで、「薬の作用に期待せずとも、放っておいたら治るものは治る」ということになるでしょう。

実際アメリカでは、馬用に処方されたイベルメクチンの服用により、医療処置や入院が必要になった患者の例が多数報告されているともいいます。

ちなみに、イベルメクチンを開発したアメリカの製薬会社、メルク社はあの悪名高い子宮頸《けい》がんのワクチンの開発も手がけている会社です。しかし、問題はこれらでさえないでしょう。一番の問題はイベルメクチンを飲もうとする人たちは、新型コロナウイルス、ワクチン、マスクを含めて、これらが茶番であると認識している人々だということです。

これは重症の依存症だと言えます。なぜなら第1章で紹介した「ＰＣＲ検査」「マスク」「自粛」「ワクチン」の４つを含めて、茶番であることを認識していれば、コロナウイルスは、イベルメクチンだろうがほかのクスリだろうが、そんなものは使う必要もない「ザコ」ウイルスだということがわかるはずだからです。

結局、イベルメクチンに安直に飛びついている人は、つねに恐怖によって右往左往するだけの「わかったふり系」にすぎません。私はそういう人々が飛びつくのを見越して、イベルメクチンの情報が流されたのではないかとさえ妄想しています。

コロナ後の世界　これから先に起こりうること

そもそもワクチンがそんなに有効なら、とっくに新型コロナウイルスの騒動は終了しているべきでしょう。はじめの頃は感染者が１００人単位で出ただけで大騒ぎだったのに、今は千人単位で増減していてもスルーという、いろいろな意味で混乱した状態が続いています。

では、この先、考えられることとしては、どういったことが挙げられるでしょうか。

ここで本書のテーマでもある「日本がなくなる」という話につながってきます。まず、**新型コロナウイルスのワクチンを打った人は、タイムラグはあれどもさまざまな病気になっていく**と予想できます。血管疾患、ターボがん、不妊やアレルギー、脳障害や神経障害は当たり前としてもっと重大な病気が現れる可能性があります。

もはやそれは、数字レベルでは証明されつつあります。厚生労働省が発表している人口動態調査で、２０２２年の10月後半の新情報を発表しています。２０２１年自体が２０２０年と比べて、超過死亡者数が約６万８０００人多いという、史上まれにみる死亡者数だったわけですが、２０２２年１～３月の死亡者数（速報値）は、その２０２１年同期に比べても約４万人近く（３万８６３０人）多いわけです。

これは**すさまじくヤバい数字**なわけです。同期間の新型コロナウイルス感染者の死亡数は１万人以下（９７０４人）で、増加分を大きく下回りますし、そもそも新型コロナ死亡者数自体が信じられないことは、第１章や拙著に書いてきた通りです。

しかも、２０２２年10月に発表されたデータによると、８月の死亡者数が昨年比で１万

７８４５人増加しています。これは戦後最高の死亡者数を更新中ともいえ、とてもではありませんが新型コロナなどでは説明できません。

この2年で普及させていったワクチン以外に、原因を見つけることが困難な状況です。もし加えるとすれば前述したシェディングの影響も、数字に加味しなければいけないかもしれません。

もちろん、私がこれまで散々述べてきた、たくさんの社会毒の普及も原因として挙げられるでしょう。「福島放射能」の影響は5年後くらいから顕在化していきますが、10年たった今ではどれほどの病気をつくっているのか見当もつきません。これらが混ざり合った結果、すさまじい超過死亡の上昇がつくられているのだと考えます。

永続的にマスクをする社会にあなたは逆らえるか？

２０２１年に上梓《じょうし》した『医師が教える新型コロナワクチンの正体』という著書のなかで私は、新型コロナウイルスワクチンのリスクとして「おそらくたくさんの人が亡くなります。それ以上に『ヤバい』状況が生み出されていくでしょう」と書きましたが、すでにそれがはじまっているといえます。

たとえば、「ヤバい状況」のひとつとして、人間の遺伝子のなかにＤＮＡ　ＲＮＡなどのたんぱく質が組み込まれていく可能性があることも否定できません。人間の遺伝子が本当に影響を受けないかどうか確認すべきなのにしていないということは、人間遺伝子の根底的破壊につながるとも考えられる重大な問題です。

ほかにも、ウイルス断片のたんぱく質を自らがつくり出すことで、常時ウイルスを飼っているかのような状態になり、永続的に新型コロナウイルスが周囲にいるように錯覚させることができます。**ワクチン、副作用、シェディング、ＰＣＲ検査、感染拡大の錯覚という負のループ**です。

これが、どう「ヤバい」かというと、ワクチンを打たれ続け、自粛をうながされ、すべて感染症対策のためという謳い文句で片付けられてしまうことです。戦前の「お国のため」というのとまったく同じですね。

この状況のとどめとして、改正感染症法が２０２２年の年末、参議院を通過しました。旧統一教会問題やサッカーワールドカップの陰でコソッと通した形ですが、内容としては、より感染症のため都道府県と医療機関が協力し協定を結び、協定にしたがわない病院は承認を取り消すことになっています。

そのくせ、知事にしたがえば病院の損失は補填してくれるし、病院にとってはウハウハ、さらに医師や看護師以外もワクチン接種が可能、感染の疑いだけで自宅待機などの指示を下すことができ、逆らうと懲役や罰金が課されます。また、マイナンバーカードによるワクチン接種履歴のデジタル管理を進めるなど、超共産主義に向け準備は万端です。

そうやって、人類は奴隷化された環境に置かれ、そのなかで自分たちを助けてくれる、わかりやすい擬似ヒーローや快楽だけを求めるようになるのでしょう。それが２０２５年になくなる日本の現状なのです。

我々は一人に過剰な期待をするのではなく、自分たちで不条理と戦っていかねばなりません。新型コロナワクチンに関してもひとつの流れができてきたので、この章の最後にご報告しておきます。

２０２２年10月20日に、ワクチン被害者「繋ぐ会」が立ち上がりました。

「目的」として次のことが掲げられています。そのまま引用させていただきます。

被害者が共に手を取り、励まし、支え合うこと。

集団訴訟に向けて立ち上がること。

そして、ワクチン被害者をこれ以上増やさないために訴え続けることです。

現在はワクチンで身内を亡くされた遺族の方の参加が可能です。入会金など一切ありません。泣き寝入りせず、こちらにご連絡をしてください。

「コロナワクチン被害者駆け込み寺」　567kyusai.com

この会は、新型コロナワクチンが原因で死亡したと推察される約１３０名が集結し、８名の遺族が東京駅カンファレンスセンターに集結して記者会見も行われました。

潜在的な新型コロナワクチンの死亡者はこんな数ではありません。今後も増えていくと予想されますが、コロナワクチン被害者駆け込み寺の鵜川和久代表、青山雅幸弁護士、ナカムラクリニックの中村篤史院長を中心にまとめていただき、国や社会の風潮に風穴を開けていけるか、私としても陰ながら応援していきたいと思っています。

第3章

2025年日本がなくなる本当の理由

——こんな人たちが日本を滅亡へと導いている

コロナでも中止にならなかった東京オリンピックの謎

これまでにお伝えしてきたような新型コロナウイルス関連のおかしな騒動も含め、日本は滅亡の一途をたどっているといわざるを得ません。**日本は決して平和な国ではなく、裏側では「この世界を支配する何者か」たちによる熾《し》烈《れつ》な情報戦が行われているのです。**そんななかで国民の多くは何も気づこうとせず、いや、知ろうとせずに生きています。

日本のトップですら手下に過ぎない存在になってしまうような、この世界を支配する何者かたちがつくったシステムに食い殺される前に、「情報」と「精神」と「行動」で立ち向かっていくこと。それが唯一、私たちが生き残れる方法ではないでしょうか。

この世界を支配する何者かたちの策謀を指摘する人のことは、おもにネットの世界を中心に陰謀論者と呼ばれています。悪化した状況について、「誰かのせいでこんなことになっている」といいたいのが陰謀論者のロジックです。そして、この世界を支配する「誰か」とは、邪悪なお金持ちだったり権力者だったりするととらえていることが多いようです。

私自身も陰謀論者とされることがありますが、正直な話、陰謀論そのものは好きではありません。陰謀論が無意味とは思いませんが、突拍子もない証拠のかけらもないネット伝聞が多いからです。そもそも陰謀論を信用していなくても、真実を調べたり、自分なりの考えを深めたりすることは可能です。

当たり前のことですが、世の中には当てにならない情報が多数存在します。デマではないことでも、「陰謀論」という言葉をあてがうことで、まるでデマのように聞こえてしまうこともあります。逆に事実であっても立場が違うだけで解釈が変わり、事実でないようにいわれてしまうこともあります。**人間は誰であれ自分の信じたいものしか見ない、**という鉄則を忘れてはいけません。今この本を読んでいるあなた自身もそうなのです。

ただ、陰謀論が意外と社会考察されていることは、見逃せない視点といってもよいでしょう。たしかに、陰謀論は裏付けとなる証拠が乏《とぼ》しく、ネット経由の伝聞が多いため、真偽については玉石混淆《ぎょくせきこんこう》の情報であることも多いものです。ですが、**「その陰謀論はどのような説なのか？　なぜその説が流れているのか？」を考えることは非常に重要**だと思っています。

これから紹介していく話も、陰謀論とされていることがいくつもあります。

ただし、ここで大切なのは「それは本当のことなのだろうか？」という自分なりに疑いの目を持って向き合うこと。そのうえで、「なんでこの説が出るのだろう？」「むしろ、もっと裏があるのでは？」などと考えを深めていくことがとても重要です。なぜなら**それは２０２５年以降、あなたが生き残っていくために必要な思考でもあるから**です。

日本がなくなることを暗示する
数々の謎の出来事

２０２１年７月、新型コロナウイルスの感染急拡大により１年延期になった東京オリンピック開催。さまざまな競技が無観客で行われるという異例の大会となりました。

当時、開催地の東京は、いわゆる「新型コロナウイルス第５波」の兆候があるなかで４度目の緊急事態宣言が発令中。オリンピックの開催期間中は宣言の時期と重なり、宣言後も新規感染者が増加していたことは記憶に新しいと思います。

感染者数を考慮するのであれば、延期にせずに予定通りに開催していたほうがよほど感染者数が少なくて済んだにもかかわらず、１年後の２０２１年に決行したということは、主催者側の人間が「日本人がどのくらいの人数感染しようと興味なし」と判断したからにほかなりません。

いや、むしろ感染者が増えている状態でオリンピックは決行され、学校のイベントはすべて中止していたのですから、オリンピック利権は当たり前として、国家の命令、大企業の命令は絶対であり、結果として反映される、ということを国民に刷り込むことに成功しました。**貧民、子ども、マイノリティは叫んでもムダという風潮をつくれた**わけです。だからこそ、この東京オリンピックに関しては陰謀論としてさまざまな情報が飛び交うこととなりました。

■「葬式のような」開会式の謎

東京オリンピックの開会式の様子は、共同通信社をはじめ各種メディアで報道されました。なかでも注目を集めたのは、今大会の競技ピクトグラムを浮かび上がらせる演出の写真でした。非常に広い会場のスペースに無数の競技ピクトグラムを配し、大きな「目」のように見せている写真に心がざわついた人も多かったのではないでしょうか。

アメリカのロサンゼルス・タイムズ紙は、「華やかというよりは思慮深く、祝賀ムードというよりは芸術本位」とし、「上品かつ革新的」という評価を受けたことも報じる一方で、イギリスのジャーナリストは「過去最悪の開会式」「葬式に参列したかのよう」とネットの投稿に酷評があったことも明かしています。

まあ前者は御用ジャーナリストのなせる業《わざ》でしょう（笑）。さて、なぜ「目」のような演出にする必要があったのでしょうか。これに関してはのちほど説明します。

■「富士山爆発」で日本滅亡を示唆《しさ》？

聖火リレーでは日本を代表するテニスプレイヤーの大坂なおみ選手が最終点火者を務めました。大坂選手が階段を駆け上がり、聖火台に火をともす場面では、その場がオレンジ色の光に包まれ、花火が上がりました。「盛り上がり」と「興奮」が演出意図とのこと。

ところが、メインステージに描かれているのは富士山。そこに点火して、花火が上がるとなると、いやがおうにも火口から噴火する「富士山爆発」を想起させます。富士山が爆発したら日本が大惨事に至ることは、陰謀論者ではなく一般的にもよく知られている話です。特にこの数年は、富士山噴火に不安を感じている人も増えています。なぜ、そんな不吉な未来をイメージさせる演出をわざわざしたのでしょうか。

■２００８年のオリンピックでコロナを予言？

２００８年の北京オリンピックの開会式のパフォーマンスにも、陰謀論者が喜びそうな一幕がありました。

東京オリンピック開会式で披露された大きな「目」

「富士山大爆発」を想起させる聖火台

「鳥の巣」と呼ばれる北京国家体育場で行われた開会式では、競技場の中央に地球をイメージした巨大な黄色い球体が出現。その周りに３６０度、全身真っ赤な人間があちこちトゲのようにくっついていて、さらにその周りを大勢の子どもたちの写真で取り囲む、というパフォーマンスがありました。

建前上は地球上を人が歩いているのを示したいらしいのですが、だったら緑や青の球体にしたほうがいいだろうし、人が赤である必要もありません。球体の周りをトゲのような突起で取り囲む、と聞いて思い浮かべるのは新型コロナウイルスです。つまり、陰謀論者風に訳すと「これから何かしらのウイルスが出てきて、多くの子どもたちが苦しむことになりますよ」ということになります。

繰り返しますが、これは２００８年の出来事です。そもそもこんな不気味な球体をオリンピックで見せる必要もありません。これは、その頃から今の新型コロナウイルスにまつわる一連の騒動が予測できていたということを示しているのでしょうか。

ちなみに、２０２１年の東京オリンピックの開会式でのパフォーマンスのひとつに、赤い紐でつながった複数の人間が、複雑な「あやとり」のようにグルグルと絡み合いながら入り混じってダンスをする、というものがありました。

日本オリンピック委員会の公式発表によると、この赤い紐が示しているのはアスリート

2008年北京オリンピック開会式で予言された？新型コロナウイルスを思わせる球体

東京オリンピック開会式、血管にからめとられた日本人たちのパフォーマンス

たちの血管や筋肉、また、葛藤などの心情を表現しているといいます。

私はこの話を聞いて「アホか」と思いました。アスリートを表現するなら灰色の「モジモジくん」みたいのを出すのも意味がわからないし、血管でなくともアスリートの努力や葛藤は示せます。単純に「なぜ、そんなにおどろおどろしい感じでやらなきゃならないの？」ということなんですが、これには意図があると考えるのは大事なことです。血管にからめとられた灰色の日本人たちのパフォーマンスは、オリンピックという華やかなお祭りにとってどういう意味があるのか。ふさわしくないなら、そこにどのような意味が込められているのか。あなたは、どう感じますか？

■切れた首を掲げ、日本の未来を象徴？

東京オリンピック開催１週間前には、国立代々木競技場近くの空に巨大な人間の頭部をモチーフとした物体が浮かびました。オリンピック前のイベントとして現代アートである気球を上げた、というのが建前だそうです。

実際に私もその現場に遭遇しましたが、イベントのことは知らなかったのでなんだろうと思いました。当然、同じタイミングで謎の物体を目撃した人たちでその時のＳＮＳは賑わいましたが、なかには「とうとう宇宙人が攻めてきたか」と揶揄《やゆ》するものまでありまし

東京オリンピック開催１週間前、
国立代々木競技場近くの空に浮かんだ巨大な人間の頭部

「左前」の衣装で登場した
ミス・ユニバース世界大会の日本代表

た。陰謀論の目線で語れば、「日本が生贄《いけにえ》になる」「日本の断首完了」という意味を込めて、モノクロの不気味な切断された首が掲げられた、ということになるのでしょうか。

■ミス・ユニバース世界大会でも、日本の「死」に注目

東京オリンピック以後にも、日本滅亡を示唆《しさ》しているかのような出来事はたくさん起きています。

たとえば、袖に日の丸が描かれたピンク色の着物風のドレス、大きくはだけた胸元に「日本」を文字で書いた姿で日本代表がステージに現れたことで話題になったのは、2021年12月にイスラエルで開催されたミス・ユニバースの世界大会です。

日本の伝統衣装として日本代表が身につけていたのは、あろうことか「左前」の衣装でした（前ページの写真参照）。着物の衿《えり》を左前で着ることは、死に装束を身につけるということを意味します。そのほかにも伝統衣装にはほど遠く、日本国旗が袖になっていますが、「袖にする」とは冷淡に扱うとかあしらうという意味です。つまり、日本はもうどうでもいい存在であることを示唆していたのではないか、と考えられるのです。

実際に、ここに挙げたケース以上に、**日本がなくなることを暗示する事例がたくさん存**

在しています。

もちろん、これらのことだけで日本が滅ぶ根拠になるとは限りませんが、何度も繰り返し暗示されることに何も意味がないとも私には思えないのです。

WHOのロゴに見るシンボリズムの恐怖

陰謀論を考える時に避けて通れないのが「シンボリズム」です。

象徴主義とも呼ばれるシンボリズムとは、抽象的な考えや物事をほかの何かのシンボル（象徴）を使って表現すること。芸術の世界で多く使われます。仮に何かのロゴマークがあったとして、そのマークの意味以上に裏の何かを表現していることもあります。

陰謀論のことを勉強しはじめると、あちこちに悪魔崇拝のマークやひとつ目のマークが転がっていることに気づきます。これもシンボリズムの作用です。陰謀論をかじると「こんなにマークを使っていると、企みがバレるから良くないのでは」と考えるようになりますが、**シンボリズムはバレても関係ないこと、むしろバレて欲しいことに意味があります。**

よく考えると「なぜ、ここに？」と思えるようなマークでも、繰り返し目にすることで、いつしか当たり前のような状態になっていることもあります。いわゆるサブリミナル効果に近いものだと考える必要があるわけです。

たとえば、ＷＨＯ（世界保健機関）のロゴマークもシンボリズムの筆頭です。ＷＨＯのロゴマークのベースは、ほかの国連機関と同じように青色の旗の上に白い世界地図が描かれているものです。ＷＨＯのロゴマークは、北極から見た地球をオリーブの葉で包むようなデザインになっています。オリーブは平和の象徴ともいわれていますから、ここまではまだ理解できます。

注目すべきは、中心にいる蛇です。杖《つえ》に絡まった蛇が舌を出していることにお気づきでしょうか。なぜ世界を半分に分けながら蛇が巻いているのかわかりますか？

一般的には、杖と蛇は医師と医療の象徴だとされています。古代ギリシャ時代、「治療の神」として崇められたアスクレピオスという医師が持っている杖。そして、脱皮を繰り返す再生力や、長い間餌《えさ》を食べなくても生きていける生命力が古来より称えられてきた蛇。この杖と蛇というふたつのアイテムをモチーフとしてデザインしたのがＷＨＯのロゴマーク、という建前です。

杖と蛇をモチーフにしたWHO（世界保健機関）のロゴマーク

一方で、キリスト教では聖書の創世記から、蛇は悪魔の化身、あるいは悪魔そのものとされている存在です。世界のほかの神話でも蛇が悪の象徴であるように書かれていることは多いのです。ということは、ＷＨＯのロゴマークのように、世界を半分に割ったど真ん中に「悪魔」がグルグル巻きになって舌を出しているデザインなんて言語道断な話。陰謀論者ではなくても、人々の健康や安寧《あんねい》な生活を追求する組織のロゴマークが、一般的には嫌悪の対象となる蛇であることに違和感を抱くはずです。

とはいえ、そもそもＷＨＯは国連にある組織のひとつではあるものの、国連自体は第二次世界大戦の戦勝国を中心につくられた組織です。先進国の利権の巣窟《そうくつ》といっていいでしょう。世界の武器輸出の80％は国連常任理事国によるものだということも明らかになっているくらい、ＷＨＯや国連は決して市民の味方とはいえないのも事実です。そして、日本は途中まで国連に敵国条項で規定された国でした。

ほかにも、私も深くかかわっている業界のロゴマークにも疑惑がつきまとっています。１９５０年に設立された世界精神医学会（ＷＰＡ）は、世界１２１ヵ国、１４５もの精神医学会を代表した、25万人以上の精神科医を集めた世界的な団体です。

世界精神医学会（WPA）のロゴマーク

このＷＰＡのロゴマークも，中央に描かれている円は地球だと思われます。その地球を赤い手のような形のものが支えているというデザインです。

なぜ、人々の心の健康に寄与する団体が、血塗られた手によって地球を持ち上げているようなロゴを象徴とするのでしょうか。もっと「精神」「健康」「安寧」を想起させるようなハートのマークのような一般的なデザインでもよいのですが、それではダメなのです。こういうロゴマークはシンボリズムであり、自分たちの意思の象徴なので、「血まみれの手で地球を持ち上げている」形にわざとしなければならないのです。

1000円札に隠されたシンボリズムを検証する

じつは、すでに身近なところにもシンボル化されたアイテムは潜んでいます。

これは「オトナの基礎教養」としても有名な話ですが、1000円札のシンボリズムについて聞いたことはありますか？　財布のなかの1000円札を取り出して今すぐあなたの目で検証することも可能です。

1000円札に描かれている野口英世を、顔の中心部分から縦に「山折り」に折り曲げてみてください。その後、折り曲げた部分を開かずに、裏と表で左右の顔を見比べてみましょう。

いかがでしょう？　向かって左半分の顔が描かれている側は、誰が見ても日本人の野口英世だと思います。ところが、もう片方の顔はまったく別の人の顔に見えることに気づきましたか？　一説によると、これはユダヤ人の顔だといわれています。

なぜ、片方の顔がユダヤ人に見えるのかには諸説あります。

アメリカのお札や通貨の発行権は、間接的に国際金融資本が所有しているといわれています。ロスチャイルド家はその代表ですが、さまざまな銀行系貴族が通貨発行権を所有しており、日本もそのなかに含まれているというのもその説のうちのひとつです。というのも、日本銀行の通貨発行権は日本政府が所有しているものの、日本銀行の日本政府以外の出資証券の持ち主（全体の45％といわれています）は非公開とされているからです。もともと日本銀行を設立したきっかけに国際金融資本が関与していたという歴史を考えれば、なんら不思議ではありません。

つまり、**日本のお札にユダヤ人が描かれているのは、「日本の銀行は日本人のものではない」というアピールのため**ではないか、という見方ができるのです。

「プロビデンスの目」により世界が監視されている!?

次に、折り曲げた1000円札を伸ばして、野口英世が描かれているのとは反対の面を表にしてみてください。そこに富士山のような山が見えるはずです。

そのまま持ち上げて光で透かし、山の部分に注目すると、どうでしょう。山の雪化粧の部分に「目」が見えてきませんか？　しかも、それは前述したユダヤ人のほうの目ではないですか？　つまり１０００円札には三角形に目が書かれており、これは偶然で成立するものでは到底あり得ません。

ちなみに、東京オリンピックの開会式で競技ピクトグラムのパフォーマンスとしても「目」が登場しましたが、こういう三角形に目のような存在を「プロビデンスの目」といいます。まあ、陰謀論の初歩です。

プロビデンスの目は、キリスト教では、未完成のピラミッド型の建造物の上で、栄光に囲まれた目で人類を監視する「神の全能の目」を意味するもの。三位一体の象徴の三角形と合わせて用いられることでも知られています。

陰謀論の見地でいえば、プロビデンスの目はフリーメイソンの象徴とされますが、これは短絡的で、フリーメイソンからはじまったわけではありません。このあたりは難しいので割愛しますが、フリーメイソンは石工職人の組合を発端として、16世紀後半から17世紀初頭にかけて世界で結成された「友愛」を掲げる結社です。日本では鳩山由紀夫元首相がメンバーであるといわれています。

そのフリーメイソンのシンボルマークとされているプロビデンスの目は、アメリカの１ドル紙幣に描かれています。そこにはラテン語で「Annuit Coeptis（計画に同意せよ）」とも書かれています。

つまり、１０００円札や1ドル紙幣を使うだけで「悪魔崇拝万歳」といっているのと同じことになっているんですね。自分の悪魔崇拝ぶりが理解できましたか(笑)。

世界から見た日本はどんな国か？

さて、東京オリンピックで奇しくも「暗示」されたように、日本の将来が危ういことはいうまでもありません。では、今の日本は具体的にどのような状況なのか、ここで少し見直してみたいと思います。

まず、現在の日本は世界第3位の経済大国である、といわれています。２０１０年に中国に抜かれるまでは世界第2位の地位を維持していました。しかし、この「経済大国日本」は錯覚です。２００８年の金融危機以降、日本の景気は低迷、国の債務残高も世界でも高い水準にあります。つまり、**「世界第3位」は実際にはさまざまな思惑があったおかげであり、見かけ上の経済大国にすぎない**ことを理解していなければなりません。

２０２２年の秋に入り一気に円安が進んで社会問題になりましたが、これ自体が隠蔽《いんぺい》してきた日本の姿が浮き彫りになったということもできるでしょう。

経済的には貿易不均衡などといわれてきましたが、それは市民同士のレベルにおいてのみで、日本を陰から支配してきた存在にとっては貿易不均衡など関係ありません。税金も年金も金融も貯金も、すべて吸い取られる形で「アメリカに貢ぐための犬」として搾取《さくしゅ》されてきたのはトルーマンの言葉通りです。

また、日本では古くから、中国や韓国へ未曾有《みぞう》の額の支援をしてきましたが、なぜか保守的な政党である自民党が、日本国民を優遇せず中国や韓国を優遇するさまざまな政策を打ち出してきました。この理由も後述しますが、東からも西からも、どんどん吸い取られているようなイメージです。

経済だけではありません。**日本は医療や食といった生活まわりのことにおいても世界のワーストの地位を維持**しています。

たとえば、次に挙げることはリアルな今の日本の現状です。

- 食品添加物の認可数や量が世界一
- 農薬の使用量が世界一

・有病率が世界一
・奇形や障害の発症率が世界1〜2位
・健康寿命と平均寿命の差が世界一
・精神病院の病床数が世界一
・薬の備蓄在庫が世界一
・電磁波の蔓延状況が世界一
・放射能の被ばくにおいて世界1〜2位

これだけ見ても、今の日本がどのくらい愚かな国なのかは理解できるでしょう。

もちろん、このほかにも挙げはじめたら止まりません。先ほど述べたのは「世界一」シリーズでしたが、日本滅亡に歯止めをかけたいと願うなら避けて通れない問題がありまず。それが、現状の日本で起きている「放射能の垂れ流し」と「最悪の医療システム」という問題です。

被ばくによる病気が増えていく今後の日本

原発や放射能がいかに危険な存在か知らなければ、この先の日本で生き延びていくことは難しいです。ただ、原発や放射能を学ぶと希望がないためか、日本人は真剣に学ぶ気がないのも事実です。

こうした放射能は本来、人類や日本の歴史には長らく存在していなかった物質であり、強力な社会毒です。

東日本大震災以降、原発の問題はまったく収束していないにもかかわらず、政府と東京電力、電通などは「日本には原発は必要」とウソをつき続け、自分たちの利益をむさぼっています。

目先の経済的な問題を掲げ、原発再稼働に賛同する輩《やから》も少なくありません。目先の利益だけを優先する金の亡者は、しょせん自分の利得しか考えていないのです。

とはいえ、彼らだけが罪深いともいい切れない現実もあります。原発や放射能をつくってきたのは無関心な私たち国民自身でもあるのです。

原発と放射能、そして原子力ムラの問題は、政治的にも大きな意味を持つことです。だからこそ、政治に目を背けることなく戦う姿勢を見せなければなりません。

ここでいう「原子力ムラ」とは、北海道電力、東北電力、東京電力、中部電力、北陸電力、関西電力、中国電力、四国電力、九州電力という電力九社のほか、東芝、日立製作所、三菱重工、川崎重工、住友電気工業、出光興産などの原子力開発部門や土木系の会社、国の機関では、原子力規制委員会、資源エネルギー庁、日本原子力研究開発機構、日本原子力産業協会、日本原燃などを指します。

今後の日本では、ますます被ばくによる病気が増えていくことが推測できます。本書は放射能説明本ではないので詳細は省きますが、放射能の影響は5年後くらいから顕在化してくることが知られています。

なかでも死に直結する病気で心配すべきは白血病やガンよりも心臓病です。また、脳障害も懸念されます。

個人レベルで内部被ばくから健康を守るには、汚染を防ぎ、質の高い食べものを食べ、十分な栄養をとり、慢性的なミネラル不足を解消し、たくさん汗をかく、という基本的な方法しかないでしょう。

政治的な問題を解決するには、原発再稼働を阻止するしか残された道はありません。そのためにも、原発がなくても電気が十分に足りていること、日本には多くのフリーエネルギーが存在していることなどの認知を広めていく必要があるでしょう。

福島第一原子力発電所事故後の放射能による健康面の問題については、のちの章で後述します。

最悪の医療システムが日本を崩壊させる

日本滅亡を防ぐには、今の医療システムにメスを入れる必要があります。

救急医療の充実と救急医を増やすことについては、以前から自著で述べているように急務です。

また、製薬会社の暗躍について国民が理解できない限り、この状況が改善することはないでしょう。もともと対症療法の物質を量産している製薬会社は、根本的に治さないことでむしろ害ばかりもたらし、継続的な利益を得ています。

医学の学会や大学病院も問題で、基本的に学会とは派閥化と資金集めのために存在しているもの。知識やアイデアを共有したければ、有志が無償で集まればいいだけのことです。彼らはまさにドラマ「白い巨塔」そのものです。

現在の医療システムはまったく患者が治らないシステムになっています。それでいて人々は医療に依存するしかなくなっています。この悪循環を断ち切るためにどのようなことができるのか、一例ですが提示しておきましょう。

- 尊厳死を認める
- ただの収容所と化している私立の精神病院を、イタリアのようにすべて撤廃する
- ただの収容所と化している私立の老人病院を半減させる
- 患者が長く通えば通うほど、患者とその病院の負担金を増やす制度にする
- 開業医の保険点数を大幅に削減する
- 収容所あるいはサロンと化しているデイケアシステムの廃止
- 出産は健康保険を適用するなど、すべて国が保障する
- 薬に関する添付文書を、すべて患者に渡すよう義務化する
- 同じ種類や効能の薬を使用している場合、すべて病院が負担するように設定し直す。さらに、併用禁忌薬を使用した場合、すべて病院が負担するシステムに変更する
- 医療事故の調査や病院評価を、真の意味で第三者機関ができるようにする
- 医療裁判における説明責任を、医師や病院、製薬会社側に負わせる

とくに重要なのが医療裁判システムの見直しです。これは識者の誰もいいませんが、もし国が実行できればほとんどの無駄な医療や薬物投与が消え去るでしょう。これは私の専門分野なのですごく実感があるのです。

ただし、これは極めて困難な作業であり、医原病や薬害をデマ呼ばわりして御用学者や大学教授たちが暗躍します。ではどうすればいいかというと、このシステムを逆にすればよいと私は考えています。このことについても後述します。

拙著『医学不要論』（廣済堂出版）などを参考にしつつ、最終的には自分の判断で考え、行動していただきたいと思います。

日本滅亡に導く「犯人」の錚々《そうそう》たる顔ぶれ

こんなふうに救いようのない日本という国をつくっている犯人の代表格は、政治家です。といっても彼らは、政治家本人の意思で動いているというよりは、操られて動かされているということになります。世の中でいうところの、傀儡《かいらい》政治家というところでしょうか。

財閥や大企業、多国籍企業や宗教法人をはじめ、そのほかたくさんの団体が支援して、

自分たちの好きなように政治家を操るだけ操っておきながら、貧民は放っておこう……という構図をつくり続けているのが今の日本といえるでしょう。

2022年になって話題となった旧統一教会（現・世界平和統一家庭連合）はその代表であり、公明党の支持母体になっている創価学会、宗教団体では幸福の科学などもその一員かもしれません。

日本を滅亡に導いてきた表の有名人たちをご紹介しましょう。

■安倍晋三

2000年以降の日本衰退を決定づけたのは間違いなくこの人でしょう。2022年、参院選の街頭演説中に銃で撃たれて殺害されましたが、私は彼についてこれまでも散々「日本のためには何ひとついいことをしていない」と批判してきました。ですから、銃撃事件のことについてもさほど驚きはありませんでした。もちろん、犯人は殺人を犯したことについての裁きを受け、罪を償うべきなのは間違いないのですが。

旧統一教会とのかかわりも以前より指摘されていたことですし、なぜ自民党＝保守第一政党＝日本万歳の反韓反中主義を謳いそうな面々が、韓国の宗教である旧統一教会に支持されるのか。それは自民党が似非保守にすぎないからですが、古くは国際勝共連合（旧統一教会創始者の文鮮明が創設した反共主義の政治団体）を含めたかかわりがあるからです。

以前、『週刊ポスト』が安倍元首相が山口組の金庫番といわれる韓国人男性と一緒に写っている写真を掲載しました。安倍元首相が山口組の金庫番だけでなく、在日韓国商工会議所とも親しかったのは有名な話です。

安倍元首相の祖父にあたる岸信介や父親の安倍晋太郎も、韓国で創設された旧統一教会と親密な関係であることで知られています。かつて『週刊朝日』は、安倍晋太郎が「私は朝鮮（人）だ」といっているのを掲載し、統一教会系の新聞『世界日報』にもそのことが載っています。旧統一教会はキリスト教の一派であることから、アメリカの犬であった安倍元首相がそれとツルんでいたのはある意味、当たり前といっていいでしょう。

自民党自体がＣＩＡによってつくられた政党として有名ですが、アメリカの国立公文書記録管理局が当時の文書を公開した際、ＣＩＡが緒方竹虎《おがたたけとら》（占領後の日本で「日本版ＣＩＡ」をつくろうとした政治家）を支援するために積極的な工作を行っていたことが明らかになりました。このことは、公式な記録としても残っています。

つまり、**自民党は結党時からずっとアメリカの奴隷だった**ということです。

原子力政策を推進してきたことや、医療費を高騰させて国家財政を破壊してきたこと、お金持ちや大企業だけの優遇、メディアとの癒着、ＴＰＰ反対の公約を反故《ほご》にしたのもすべて自民党の仕業です。韓国への謝罪を繰り返し、訴訟を喜んで受け入れてきたこと、従軍慰安婦問題で「強制連行があった」と認めたことも、すべて自民党がやってきたことなのです。

先の安倍元首相が亡くなった後に行われた第26回参議院議員通常選挙では、同情票も加算されたせいか、自民党は改選過半数の63議席を単独で確保し、大勝を収めました。憲法改正に前向きな改憲勢力は、非改選と合わせて必要な参院の3分の2を維持した形になったのです。

ここで考えるべきは、この選挙結果が示す意味です。

なぜ大事な選挙の前のタイミングでセンセーショナルな事件が起こったのでしょうか。

「結果的に多弱野党になった」のではなく、「恣意《しい》的に多弱野党がつくられたのだとしたら？」という発想で、もう一度考えてみることです。日本滅亡のシナリオは、いったい誰が書いているのでしょうか。

話を安倍晋三元首相の銃殺事件に戻しましょう。

これに関しては、その後さまざまな陰謀論がネット上でも飛び交いました。もっとも杜《ず》撰《さん》なデマは「ゴムマスク説」でしょう。安倍元首相の顔を象《かたど》ったゴムマスクを被った別の人間が、元首相の代わりに殺されたとする説です。

もちろん、こんなばかばかしいデマは無視して構いませんが、私自身、医師としてこの銃殺事件報道を信じることは到底できません。

たとえば、奈良県警によると、首と左上腕部に銃弾が命中した傷があり、死因は「左上腕部射創による左右鎖骨下動脈損傷にもとづく失血死」とのこと。ということは、左腕を撃たれ、そのまま銃弾が左から右の鎖骨に移動した、ということになりますが、この説明は力学的や解剖学的にも不自然だといわざるを得ません。それに首の傷も到底説明できません。

私はこの事件は「伊藤博文暗殺事件のオマージュでは」と考えています。

１９０９年、清国黒竜江省のハルビン駅にて大韓帝国の民族運動家であった安重根《アンジュングン》によって、伊藤博文が至近距離からピストルを発射されるという暗殺事件が起こりました。この時も「あり得ない角度から撃たれている」という証言が多数あり、安重根は犯人ではないとして歴史ミステリーになっているくらいです。

本件も同じような構図を持っており、その事件から１１０年以上たった今、暗殺事件が繰り返されたことが「シンボリズム」であると見ています。何を象徴したいのか、それは**日本がアメリカの犬であることさえ終わろうとしている**ということです。

■橋下徹

元大阪府知事で弁護士の橋下徹は、２０１０年に地方政党である大阪維新の会を発足させ、代表に就任した人物です。そして、日本維新の会は、国政に進出するにあたって大阪維新の会を母体として設立された団体です。

この維新の会は、一見自民党と対立しているように見えて、じつは「お仲間」といってもいいでしょう。

日本維新の会と韓国をルーツに持つ旧統一教会の関わりも見逃せません。２０２２年8月に衆参の所属議員62人を対象に調査を行ったところ、13人もの議員が旧統一教会とかかわりを持っていたことが明らかになっています。もっとも、この調査は日本維新の会が自分たちで議員たちの自己申告に基づいて行ったものなので、実際はもっと深掘りできるでしょう。

さらに、**橋下徹は日本のために頑張るそぶりを見せておきながら、日本のことが嫌いと**

しか思えないような言動を繰り返しています。

たとえば2022年3月のツイッターではこのようなこともつぶやいています。

「重症リスクのある人を救うため、感染拡大を防ぎ飲食店等を助けるためにコロナワクチンを打つことすら拒否する人が、国を守るために命を棄てれるんかいな。国を守るために命を棄てれるんなら、コロナワクチンくらいつべこべ言わずに打てるやろ！」

簡単にいえばお国のために死ねよ発想ですが、世界で一番くらいにワクチンを打っている日本はなぜコロナが終わらないのか、彼には事実や数字を直視する精神がないのでしょう。すべてはスポンサー様の意向です。

そもそも橋下徹や維新の会という政党は、売国企業として有名なパソナを支援者に持ち、自民党以上ともいわれるほど大口スポンサーがついています。

自著では『交渉力』という本が有名で、言い訳、責任転嫁、立場の入れ替え、前言撤回など、相手を丸め込むこととウソをつき続けることしか頭にないことが書かれています。これは金融資本サイドとしては利用するのにうってつけの崇拝者だと思います。

政策としてはカジノの推進、「竹島は共同管理発言」、尖閣や北方領土および地下資源についても共同管理を訴えており、どこの人だかよくわからない論説を広げています。ネットでは「橋下徹をテレビに出すな」が一大トレンドになっており、国民も本能的には彼の異常さがわかっているようですね。

■小泉純一郎・小泉進次郎

小泉純一郎の小泉内閣は、郵政民営化をはじめ、道路公団民営化や政策金融機関の再編、独立行政法人の再編と民営化などを実現させたことが功績とされています。ですが、これも見方によっては、「アメリカ様に『郵政はすべて売却しなさい、キミたちはみんなバカなんだから』とそそのかされ、『はい、わかりました。その通りですね』という調子で乗っかってしまった」だけです。

そもそも「自民党をぶっ壊す」で人気が出た政治家ですが、その真意は自民党をぶっ壊すではなく「日本をぶっ壊す」でした。規制緩和の名のもとに小泉竹中（平蔵）構造改革を行いましたが、中身は大企業や金融資本を優先するため、そこに利益を流すためだけに動いていたことになります。

日本の貧困化を確定させたのが小泉純一郎であり、その後に続く短期政権であり、その締めとしたのが長期政権を担った安倍晋三でした。その頃から正社員は激減し一人当たりのGDPが2010年には世界27位となったのです。

小泉政権時代に福島原発をはじめとする原発の安全装置（蒸気凝縮系機能）を撤去していたのは有名な話です。その後反原発に転向したようにうそぶいているのは廃炉利権が背後に控えているからにすぎません。「バカどもが気づく前にさっさと鞍替《くらが》えして人気とっちゃおー♡」みたいな感じでしょうか。

さらに輪をかけて日本をダメにしているのが、息子の小泉進次郎ではないでしょうか。顕著《けんちょ》な出来事として有名なのが、２０１６年9月に都内で開催されたソーシャルイノベーションフォーラムで登壇した時のメッセージです。

「悲劇的な考えしか持てない人口1億２０００万人の国より、将来を楽観し自信に満ちた人口６０００万人の国のほうが成功事例を生み出せるのではないか」

日本が本当に嫌いな一家なのだと思います。日本の将来を良くしていくことを考えるのであれば、「将来を楽観し自信に満ちた人口1億２０００万人の国」にしなければいけないのが政治家の役割だからです。

最近はポエムくんとしてあまりの頭のスバラシサに、金融資本やアメリカからも期待されなくなってきていますが、いまだ何も考えていない有権者層には人気があり、彼が政治家になること自体が日本の劣化を象徴しているともいえます。

■岸田文雄

２０２３年初頭の段階で日本の首相は岸田文雄ですが、彼もまた典型的な傀儡といっていいでしょう。彼は派閥でいうと宏池会に所属し、宏池会は自民党内ではハト派で左派寄りでもあり媚中媚韓ともいわれます。

コロナの水際対策をしている時にも「外国人留学生は、我が国の宝です。円滑に入国できるよう支援します」と発言し、そのダブルスタンダードで批判が大炎上しました。防衛費の確保のため国民から増税することだけは決断が早かったようですが、彼はもともと国民救済には興味がないのです。

岸田総理を表す代表的な言葉は「検討」でしょうか？　検討したふりだけ、本気では何も考えていないという姿勢は傀儡としてはうってつけです。ガソリンの高騰と無策、マスクを外すことでも取り残されている日本、現実的にも円安で皆苦しんでいます（これは長年の業でもありますが）。

そもそも第１００代総理として岸田文雄新内閣は誕生しましたが、これまでの主流は清和会であり一昔前には経世会もありました。清和会の代表が安倍晋三や小泉純一郎ということになりますが、これは宏池会とは連携もするし対立する派閥でもありました。

菅総理は短命政権に終わり、安倍晋三元総理はキングメーカーとして細田派の会長に就任する思惑を持っていましたが、岸田政権はこれを拒否、そこで乗っかったのが麻生太郎が主張してきた「大宏池会構想」です。そもそも安倍氏は目の上のたんこぶだった、ととらえることもできます。

もともと安倍晋三元総理はかなり強力な権力を持っていましたが、それも国民というよりアメリカに与えられたもの、彼をサポートしたり忖度《そんたく》する人々は、みなが彼を尊敬していたわけではありません。はっきりいえば逆の立場である左翼より、内部に恨み、嫉《ねた》み、妬《そね》みを持たれ、なぜ彼を助けなければいけないのか、と思っていた人は多いことでしょう。

総理退任後フィクサーとしてふるまっていましたが、ウザいと思っていた人がどれほどいたことか。今回誰が指令したのかはわかりませんが、自民党は間違いなく安倍晋三という人を利用し、おそらく生贄にさえしたのではないかと妄想しています。

■竹中平蔵

経済学者で、売国奴の筆頭として扱われ続けてきたのが竹中平蔵です。もちろん、彼に限ったことではなく、全体的に経済学者はウソのかたまりといっていいでしょう。

パソナの元会長である彼がいかに「自分は奴隷を管理する役割」ということを自覚しているかについては、ネット上の人たちもよく知っているようです。そのまま引用させてもらうと、

「日本企業が売却されて底値になったところをユダヤ様に買い占めさせ、日本企業をユダヤに献上」

「郵政民営化による収益の３５０兆円をユダヤ金として献上」

「派遣労働解禁により、日本人労働者の給料をピンハネしてユダヤ様に株式配当として献上」

といったことなどは、もはや多くの人が目にしている竹中平蔵の「犯行」として有名な話です。

■デービッド・アトキンソン

オックスフォード大学で日本学を専攻し、ゴールドマン・サックスでは「伝説のアナリスト」と呼ばれ、日本の経済を語る元金融アナリストのデービッド・アトキンソン。

「日本の経済再生のためには生産性の向上が必要」「日本人がこれ以上貧乏にならないためには生産性の向上が不可欠」などと**「日本のために」を強調することを掲げているよう**

に見えますが、この人も誰かにそういわされているだけの御用学者です。

「日本のために、中小企業は半分消えていい」「中小企業をどんどん合併してムダを省き、余裕を持つことで賃金を上げることができる」という主張は、日本人を幸せにするためではなく金融資本や投資家の世界戦略のためでしかありません。

■小沢一郎

だったら、左翼的な思想を持った政治家ならどうかというと、これもまた似非保守系に輪をかけて売国奴ばかりです。

小沢一郎に限らず左派系の売国政治家たちは、自民党を批判している間だけはまともなことを語ります。これが一般ウケするのでしょうが、左派や共産系にありがちな二枚舌だと見抜けるかどうかがポイントです。私も昔は期待してしまったのですが、あまりのひどさに期待するのをやめました。

彼らは美辞麗句によって何を狙い、どんな権力がバックにいて、何に信仰心を持っているのか見極めないといけません。

たとえば、今は政治家ではなくなった感もある小沢一郎には、以前から済州島出身という噂がつきまとっていたようです。この噂についての真偽のほどは定かではないものの、２００９年12月、韓国で行った講演での一説が有名です。

ソウルの学生たちに対し、「日本人はもともと民度が劣る」とし、「君たちのような、優秀な民族の血を日本人に入れない限り、他人やアジアに寄生して生きる害虫日本人が増えるだけだ」と演説したのです。これも日本の政治家とは到底思えない言葉です。

こういう政治家が日本のためとうそぶくのを二枚舌というのです。**日本のルーツを持っていない政治家が日本の政治で好き勝手できる、**ということをもう一度考え直すべきではないでしょうか。

■山本太郎

２０１９年にれいわ新選組を設立した山本太郎は、左派や共産主義者の救世主として持ち上げられてきました。しかし私は自分が立ち上げた政治団体を根も葉もないデマで叩かれたこともあり、彼や共産主義者たちの本性はよく知っているつもりです。

そもそも左派や共産系の政治家は、必ずルーツについて調べる必要があります。竹島領土問題の解決策について「竹島は（韓国に）あげたらよい」というあきれた回答をしていたことも記憶に新しいのではないでしょうか。

「生活保護を受けよう」と生活困窮から人々を救い出そうとうそぶいていましたが、貧しい人はこのメッセージにだまされてしまうでしょう。ばらまきといわれるゆえんですが、本来であれば、生活保護を受ける人がいない社会、つまり普通に働いて普通に自分で食べていけるような人や社会システムをつくっていき、強く豊かな日本にするのが政治家の役割だからです。

「貧民たちにはお金という餌をあげて飼っておけばいい。そうすれば一元管理しやすくなる」といっているのも同然です。じつはこれは依存しかない社会を構築しようとしているともいえます。自己責任ばかりの世界も窮屈ですが、これはその真逆の理論にすぎないのです。

山本太郎が超管理型の共産主義社会を目指していることは、都議選で訴えていた下水ＰＣＲ検査にも表れています。

「東京都の下水中の新型コロナウイルスを検出するために、ＰＣＲ検査を徹底的に行う」というのがその主旨。東京都内５００ヵ所にある下水を管理する小分区ごとに定期的かつ継続的にＰＣＲ検査を実施することにより、検出されたウイルスからその地域の感染の兆しを把握することが可能。さらに、そのウイルスの出どころを探るために、地域を絞って

ＰＣＲ検査を重ね、陽性者をあぶり出しましょう、という提案です。たとえば、「このマンションの下水を調べたら陽性になったので、マンションの住民は全員隔離です」ということを望んでいるわけです。

ここで考えるべきは、「なぜ、そういう思想になるのか？」ということです。そこを理解することが政治の基本を学ぶことに近づけるからです。

これは中国や北朝鮮の共産主義と同じで、「全員が管理されていないといけない」という発想が根底にあります。だから、現在でも日本共産党や立憲民主党は、もっとＰＣＲ検査をしなさいとか、患者管理をしっかりしなさいというのです。

善意を餌に裏では陰謀を、そして彼らには見せかけ上の御用科学にしか飛びつく頭はなく、貧民は文句をいう資格はなく自由も与えられない、という構図をつくりたいのです。

結論としていえるのは、**右翼にも左翼にも、保守にも革新にも、日本を良くしたいと思っている人はいません。**自分たちが政治に参加していくしか日本を改善する余地はないのです。

第4章

これだけヤバすぎる問題を抱えている日本

――日本が人口減少率ナンバーワンの国になった理由

日本の土地が爆買いされていて、ヤバい

さて、このような政治家たちが跳梁跋扈《ちょうりょうばっこ》する日本が、今、現実的に、法律的にどのような状況になっているのか考察してみましょう。

ご存じの通り、昔の日本は世界でも評価が高かった国でした。日本ならではのいいところもたくさんあったと思うのですが、今となってはもう微塵《みじん》もないわけです。**戦後77年間、「この世界を支配する何者か」によって日本人は奴隷教育され続けてきた**ので、どんどんいいところがそがれていってしまいました。

技術や魅力がなくなっただけでなく、人口もバンバン減っていく日本に、まだ残されたものがあるとすると、その筆頭は土地などの不動産でしょう。土地や不動産もすべて日本人ではない人間が買収してしまえば、いよいよ日本という国は終わりになります。

日本は主権国家なのだからそんなことにはなるわけない、と思うお花畑さんがまだ日本にはたくさんいると思いますが、先に挙げた政治家たちやその手先たちが、どれだけ努力して売国してきたかを考えないといけません。

２０１１年頃から日本の土地が買われはじめ、その問題がいよいよ顕在化したのが２０

外国資本に買収された森林（2020年）

都道府県	市町村	取得主体	取得者の所在地	森林面積（ha）	利用目的
北海道	蘭越町	個人	香港	2	資産保有
	ニセコ町	個人	シンガポール	1	資産保有
		個人	シンガポール	2	資産保有
		個人	マレーシア	0.7	住宅建築
	真狩村	個人	シンガポール	10	別荘建設
	留寿都村	法人	英領バージン諸島	0.4	未定
		法人	英領バージン諸島	3	未定
	喜茂別町	法人	英領バージン諸島	0.8	未定
	計		8件	20	
神奈川県	箱根町	法人	英領バージン諸島	0.2	資産保有
		個人	英国	0.3	別荘建設
	計		2件	0.6	
京都府	京都市	法人	中華人民共和国	0.2	住宅
		法人	英領バージン諸島	1	資産保有
	計		2件	1	
合計			12件	22	

2020年１月から12月までの期間における外国資本による森林買収（農林水産省の調査）
※計の不一致は四捨五入によるもの

15～2016年あたり。それが新型コロナ茶番が広がるにつれ、さらに顕著になってきました。

たとえば、外国資本によって北海道などの広大な土地を買い漁られている事例や、対馬や沖縄にある国境の離島の土地が買収されている事例もあります。あるニュースでは、**北海道の土地について、中国や外国資本によって東京ドーム515個分の水源地が爆買いされている**という話もありました。現在ではこの数字では表現できないくらい増えています。

２０２０年の、居住地が海外にある、または外国人と思われる者による外国資本に買収された森林は、全国で約22ヘクタールにのぼっています。そのうち、最も多く取引があった都道府県は北海道でした。そして、北海道を売りまくったとして有名なのが、自民党の媚中派として有名な二階俊博です。

水源地はもとより、使われなくなった農地や経営難におちいったスキー場とゴルフ場、リゾート施設なども買収の対象として狙われており、もはやほとんどは買い占められています。たとえば、ニセコ町では土地や施設を中国系の企業が次々と買い占めていたり物件のオーナーになったりしています。豪華な別荘も立ち並び、町は変貌を遂げたといいます。

２０１８年には、新千歳空港の近く、航空自衛隊の基地と隣接する地域の50ヘクタール以上の土地が、中国の大手ネットショッピングサイトのアリババ社に約49億円の売値で出品されたことも話題になりました。

そんなことで、日本の国民を守ることができるのでしょうか。

もちろん、土地の買収だけではありません。

宮崎県えびの市にある私立、日章学園九州国際高等学校は、日本人の生徒が16名なのに対し、中国人留学生が１６７名も在籍しているという事態を招いています。９割が中国人留学生のこの学校は、入学式に中国の国旗が掲揚され、中国の国歌が流れるという異様な事態になっています。

宮崎県の高校生の入学者数が激減していることから学校法人が経営難におちいり、「日本の有名大学に進学させる」という名目で留学生を集めたことが、ことのはじまりでした。

外国人留学生を集めるのにはほかに理由もあります。

たとえば、北海道東川町では、学校ではなく町が留学生集めに乗り出し、町立東川日本語学校を設立しました。外国人留学生は優遇されていて、町が授業料の半分を負担したり、寮の家賃も補助したりしています。

２００人もの外国人留学生を好待遇で受け入れる理由には、町が財政補助を狙っているという理由もあります。地方交付税交付金は人口に応じて国から分配されますが、たとえ永住を約束していなくても２００人の外国人留学生がいれば、それだけで４０００万円の地方交付税交付金が確保できる計算になります。つまり、お金目当ての外国人留学生ということです。

ちなみに、この日本人学校は、２０２０年11月、日本語教員としての要件を満たさない元校長をはじめとする7人に授業をさせていたことで、札幌出入国在留管理局から注意を受けています。

東京の3分の1は日本人所有の物件ではない!?

私の身のまわりでも、外国資本による買収を実感する出来事があります。

現在、私のクリニックは東京都台東区にありますが、この近辺のビルも外国資本や外国人オーナーの物件が増えている印象です。もともとこの地域は昔から外国人が多いことでも知られていますが、ここ数年で道行く人の中国人や韓国人の割合が急増していることを肌で感じます。

実際、私自身が仕事に必要で新たに３つの物件を内覧した際、不動産会社の担当者の説明によると3軒ともそれぞれ中国人と韓国人のオーナーのものだったこともあります。その担当者と街中を歩いている時も、「このビルも、ここのビルも外国人オーナーですね」とあちこち物件を指さしながら説明をしてくれました。

不動産に詳しい人から聞いた情報によると、「２０１９年の段階で、東京の不動産事業者の外国資本関係の占有率は17～18%。それが２０２０年以降、コロナ禍に突入してからは33%にまで伸長しました」とのこと。この情報が正しければ、**今や東京の不動産事業者**

の3分の1が日本人ではない、ということになります。不動産事業者が日本人でなければ、当然日本人でない人に不動産を紹介しやすくなります。もちろん、これは違法行為ではなく、日本政府が許容していることです。

このように、土地や施設を売ったり、外国人留学生を受け入れたりすることが地域活性化や自分たちのメリットにつながると信じて疑わない人々もいるのは事実。別に観光で外国人が来てくれるのは歓迎なのですが、買収となると国の前提が崩れます。そういう人たちは相手が外国資本であっても買収に応じているようですが、**国を守るためにも日本が中国の経済植民地になることは断じて回避しなければならないこと**です。

しかしもう無理なのです。

種子法と種苗法が、ヤバい

種子法の廃止、種苗法の改正も日本を滅亡に向かわせている大きな要因です。

なぜ、種子法や種苗法が問題なのかを知る前に、まず基本的な種子法と種苗法についておさらいしましょう。

種子法とは、もともとは日本国民が飢えない目的でできた法律です。国民が米や麦、豆といった農作物を安く安全に食べられることを目標に制定されましたが、２０１７年4月に廃止になりました。

一方、種苗法とは、農作物の知的財産権を守るためにできた、いわゆる「種採り」の法律です。農林水産省に出願した品種が登録品種として扱われるようになると、一般的な農作物は25年、樹木は30年の独占的販売権が認められるようになります。独占的販売権が認められるのは登録品種のみで、伝統的に栽培されてきた品種や登録品種以外の品種の独占的販売権は認められません。

問題は、２０２２年4月から施行されている種苗法の改正のほうだといわれています。つまり、農家が購入した種苗から栽培して得た種や苗を次期作に使う「自家増殖」を禁止する、という改正ははたして日本のためになるのか、ということです。

農水省は「改正の影響を受ける品種は少ない」「種苗法に占める許諾料の割合は低い」と説明していますが、実際のところはそんなことはありません。

ちなみに、今回の種苗法の改正のポイントは大きく分けて次の2点です。

・栽培地域の指定

農作物の品種の開発者が、種や苗を輸出する国や栽培する地域を指定できるようになった。これに違反し、指定外の国などに故意に持ち出した場合、刑事罰や損害賠償の対象になる。

- 自家増殖の許諾

農家が収穫物から種や苗をとって、次の栽培に使用する際は、品種開発者の許諾が必要になる。

今までの農家は、種を植えて収穫後にできた種を自分でとって、その種でまた農作物を育てていく、ということができました。ところが、今回それが禁止になるよう法律が改正された理由は、「海外にいい種が流出するから」という国の言い分によるもの。登録品種を海外に持ち出すことを規制する法律がなかったため、日本で開発された品種が海外に持ち出されるケースがあった、ということになります。

たとえば、ブドウの登録品種のシャインマスカットは、もともとは日本が開発した品種だったものの、その後、中国産や韓国産のシャインマスカットのようなブドウが多く出回る事態になった、とされています。

じつは、これも「建前」であって、真実ではないこともわかっています。

もちろん、日本の伝統的な自然農家と育種家のみなさんのなかには、種苗法の改正に賛成している人々もいます。

そのうえで話を進めると、国はそういった前提を利用して、自分たちで種や苗を管理しようとしているのです。

すべてではないとはいえ、国が種や苗を管理するということはどういうことでしょうか。そうなれば、自分たちで種をとる代わりに国が認めたり売りやすかったりする種や苗を、毎年その都度購入しなくてはならない状況になります。

必要になるたびに買わされる種や苗は、もちろん農家にとって都合のいい種や苗ではありません。実際には、大企業が育てている種や苗ばかりになっていくでしょう。

しかも、それは日本の企業ではなく、外国の企業がつくる種や苗であることも懸念されます。外国の企業が日本の種苗に興味を持ち、それらを日本という国に払い下げしてもらうことで多額の利益を得る流れができれば、**日本の種苗は外国のものになり、その種苗を日本の農家が永続的に買い続けなくてはならなくなる**のです。

日本の畑で育てる農作物なのに、その種や苗は外国からしか買えなくなる時代がくるということにあなたは疑問を感じませんか？

私のまわりにも、日本の種や苗を守ろうと活動している人たちもいます。ですが、彼らでさえも、「農水省は外資の種や苗を主軸にしてやっていくことを決めている」といいます。農水省の職員が外資の圧力を明言するのですから、いかに日本が奴隷国家であるかわかります。今、日本では地方条例によってこれに対抗しようという流れになっていますが、まだまだうまくいっているとはいえません。

完全奴隷国家の構築条件として食の支配というのがあります。この法律はそのために改正されたのだということを知らねばなりません。

遺伝子組み換えの種の話については、後述します。

水道民営化が、ヤバい

水道民営化も非常に問題です。

そもそも、２０１８年12月に改正水道法が成立していることを、いったいどれだけの人が知っているでしょうか。タイミングとしては、消費税が10％に引き上げられた時と同じだったので、増税のほうに注意が向いてしまっていた人も多いかもしれません。

きっかけは、２０１３年４月にワシントンのＣＳＩＳ（戦略国際問題研究所）を訪れた、これまた売国奴政治家である麻生太郎副総理兼財務大臣が放った「世界中ほとんどの国ではプライベートの会社が水道を運営しておられますが、日本では自治省以外ではこの水道を扱うことはできません。しかし水道の料金を回収する９９・９９％というようなシステムを持っている国は日本の水道会社以外にありませんけれども、この水道はすべて国営もしくは市営・町営でできていて、こういったものをすべて民営化します」という言葉です。**日本が守ってきた大切な水を勝手に売り渡す宣言をした**のです。

世界の水ビジネスの民間企業の３大メジャーといえば、ヴェオリア、スエズ、テムズ・ウォーターで、世界の上下水道民営化市場の７〜８割を握っているとされています。たとえば、水部門の売上げがヴェオリアは約１兆６０００億円、スエズは約１兆５０００億円、テムズ・ウォーターは約６０００億円。日本企業では最大でも約１０００億円くらいだといわれているので、桁《けた》違いの規模だということがわかります。長きにわたる民営化の歴史やノウハウを持つこれらのウォーターバロン（水道事業の国際的な巨大企業）が参入してきた日には、日本はどうやっても勝ち目があるとは思えません。

しかも、麻生副総理は「世界中ほとんどの国ではプライベートの会社が水道を運営」しているといっていましたが、現状の世界における水道事業の潮流は「再公営化」なのです。

•フランス・パリ市
１９８４年にヴェオリアとスエズの２社と公設民営で契約したものの、水道料金が２・25倍に跳ね上がった。財務の不透明さなどに市民の批判が集まり、２０１０年に再公営化。水道料金は８パーセント値下げに。

•アメリカ・アトランタ市
１９９８年に公設民営で契約。配水阻害、泥水の地上噴出、水道水の異物混入や汚濁などが続出し、料金は毎年値上げされた。その結果、２００３年に市直営に。

•ドイツ・ベルリン市
１９９９年に第三セクター化。出資者に８パーセントの株主資本利益率（ＲＯＥ）保証の密約を結び、設備投資不足と料金高騰を招いたため２０１３年に再公営化された。

もちろん、民営化されて国民がメリットを感じられる方向に進むなら、何も文句はありません。ですが、金融資本直下の多国籍企業がそんなことを考えるわけはなく、今のところ水道料金の高騰や緊急時の対応など問題は山積みです。

とくに私が不安視しているのは、**水質の低下**です。

たとえば、外資企業が参入した場合、彼らが提供する効率重視の水処理法（急速ろ過）では、汚れの凝集工程で使用されるポリ塩化アルミニウム（PAC）と硫酸アルミニウム（硫酸バンド）により、水道水に酸化アルミニウムが溶存する可能性が高まります。アルミニウムは摂取によって健康被害の可能性が高まることでも知られています。これらは外資企業が推し進めてくるわけですが、にもかかわらず、水道料金は高くなっていくことになります。

水道は、電気やガスとは異なり、たとえ民営化しても個人で自由に選べるわけではありません。水道を選ぶ権利は自治体に委ねられています。現状、宮城県や浜松市など部分的に民営化が進んでいます。もう喉元を外資企業につかまれているといってもいいでしょう。

ここでもそうですが、**完全奴隷国家の構築条件として水の支配というのがあります。生きるために最も必要なものを支配するのが彼らのやり方**だということです。

農薬使用の緩和が、ヤバい

農薬問題も、日本を滅亡させる大きな要因のひとつです。

２０１５年あたりから進められている農薬使用の規制緩和により、**日本は「世界で最も農薬を使っていい国」になっています。**もともと日本は世界一の農薬残留大国だったのですが、それがさらに圧倒的トップに君臨したわけです。

時々「中国産の野菜は怖いから買わない」という人がいますが、そういう人は日本の農薬使用量が世界トップだと気づいているのでしょうか。はっきりいって日本の野菜の怖さは中国などメではありません。

日本でよく使用されている農薬や除草剤の代表格は、ネオニコチノイド系とグリホサート系です。

ネオニコチノイド系は、殺虫剤の一種。生物への有害性の高い有機リン酸系農薬に代わり、１９９０年に登場しました。脳のシナプス部分にある神経伝達物質のアセチルコリンの受容体に結合し、神経を興奮させ続けることで虫を殺す農薬で、ミツバチの大量死の一因とされています。

　ＥＵでは２０１３年からミツバチを引きつけやすい作物に限って薬剤の使用を暫定的に禁止していましたが、２０１８年にはネオニコチノイド系の農薬のうち、クロチアニジンとイミダクロプリド、チアメトキサムを主成分とするものについてはすべての作物への使用を禁止しています。

　アメリカでは２０１５年、環境保護庁（ＥＰＡ）がネオニコチノイド系の農薬のイミダクロプリドなど4種類を、新たな作物への使用や空中散布などを認めない方針を決めました。ほかにも、韓国は２０１４年、ブラジルは２０１５年、台湾は２０１６年に次々と禁止をしているのです。

　にもかかわらず、**日本は禁止どころかネオニコチノイド系の農薬の食品の残留基準をむしろ緩和している**のですから驚きです。というより、これはわざとやっているのだと知るのが重要になります。実際、２０１５年にネオニコチノイド系の農薬のクロチアニジンの残留基準値を従来と比べ、ホウレンソウは約13倍、シュンギクは約50倍にも緩めているのです。

　世界と比べても、ネオニコチノイド系の農薬のアセタミプリドの日本の残留農薬基準値は、ブロッコリーは2ｐｐｍでＥＵの5倍、ブドウは5ｐｐｍでＥＵの10倍、イチゴは3ｐｐｍでＥＵの60倍、茶葉は30ｐｐｍでＥＵの６００倍といずれも、日本がずば抜けて基準値を上回っていることがわかります。今の日本の野菜をヨーロッパに持っていったとしたら、おそらくほぼすべて犯罪になるでしょう。

ミツバチをも殺す殺虫剤をたっぷり浴びた作物は、どれほど洗ったとしても細胞までしみ込んだ農薬を洗浄しきることは不可能です。農薬は強力な神経毒であり、あらためて農薬まみれの作物を身体に取り込むおそろしさを思い知らされます。

農薬の空中散布も　健康と環境にダメージを及ぼす

さて、なぜ農薬基準に関して日本は世界に逆行しているのでしょうか。じつはこの逆行はほかの社会毒でも見られる現象なのですが、日本だけが狙い撃ちされているからです。

ヨーロッパやアメリカを中心に農薬規制が厳しくなったことを受けて、農薬メーカーはいつもの手を打ちます。農薬メーカーと製薬メーカーは兄弟みたいなもので、医療の世界でもこの手は使われます。それは**在庫処分**です。

つまり、欧米で売れなくなってきたから、世界で一番バカで何も考えないあの国で全部サバいちまおう♡　あの国は目先だけの政治家に金を積めば（ロビー活動）イチコロだから、すぐに規制をさらに緩和するに決まってる、ということなのです。

　こうやって使いきれないほどの農薬を買うことになる日本は、農薬がサバききれないためほかでも農薬を使うことになります。その代表が空中散布です。そもそも農薬の影響は、当然のことながら環境にもかかわってきますが、この場合、直接ヘリコプターなどで撒《ま》くわけですから、川に流れての間接汚染などの比ではありません。

　あなたの町でも農薬散布が行われている可能性があります。そして、アメリカ環境保護庁が行った調査によると、前述のネオニコチノイドは散布されてから1年以上、土壌に残留するという結果が報告されています。

　健康被害と環境汚染を引き起こす農薬の空中散布については、長野県松本市でのニュースが注目を集めました。

　松本市は２０１９年度に、農薬空中散布の予算として７１０万円を計上、これはもちろん税金です。７１０万円もの税金を農薬に費やして健康被害や環境破壊を引き起こすことに対し、松本市の住民グループは公金差し止めを求める訴訟を起こしたのです。実際に、私は現地の活動家から脳障害やアレルギーなどの健康被害の話を聞きました。

この手の問題は、行政によって結果に差が生じる傾向が強いことでも有名です。平たくいえば、行政の地方議員に「まともな考えの持ち主」が数人いれば計画がストップするケースもある、ということです。一方で、国会議員はこういった案件にはまったく興味を示しません。

発がん性の高い除草剤を使い続ける日本

ネオニコチノイド系の農薬と同様、世界的に規制の強化が進んでいるのはグリホサート系の農薬です。

グリホサート系の農薬は、植物の成長に必要なアミノ酸生成をストップさせる作用を持つ非常に強力な農薬です。国際がん研究機関（ＩＡＲＣ）は２０１５年に「ヒトに対しておそらく発がん性がある」とし、危険度を示す5段階評価のうち上位から2番目に分類しています。

フランスでは２０１９年に、グリホサートを有効成分とする一部の製品の販売禁止を決定。ベトナムでも同年に輸入禁止、ドイツでは２０２３年までに全面禁止とするなど外国でも規制強化の動きがみられます。アメリカでは大規模訴訟が行われ、日本円にして１兆円以上の和解金がドイツの化学工業および製薬会社のバイエルから支払われています。

一方、**日本はというと、これまた世界の潮流に逆らって、これまでの規制を緩和している**のです。２０１７年にはグリホサートの残留基準値を引き上げ、従来と比べるとトウモロコシが5倍、小麦が6倍、ライ麦が１５０倍と大幅に使われるようになりました。

グリホサートを主成分とした有名な商品に「ラウンドアップ」があります。日本のホームセンターでも手軽に入手できる除草剤です。

ラウンドアップはベトナム戦争で使用された枯葉《かれは》剤をつくった、アメリカの悪名高き会社モンサントが１９７４年に発売しました。モンサント社は世界中でその悪行に批判が集中、２０１８年にバイエル社に買収、吸収されましたが、ラウンドアップの在庫は山ほど残っているという状態です。

健康被害や環境汚染を考慮して、２００３年にはデンマーク、２０１２年にはカナダがそれぞれ散布を禁止、２０１４年にはスウェーデンとノルウェー、スリランカが使用を禁止、２０１９年にはフランスで個人向けの販売を禁止しています。アメリカでもラウンドアップを使用したことによってがんを患ったというモンサント社を訴える訴訟が１万３０００件以上も起こされているといいます。

そんなふうに世界中がラウンドアップを締め出しているにもかかわらず、わざわざお金を払って輸入して、近所のホームセンターの店頭で手軽に買える国が存在します。世界で唯一といっていいほどバカげたその国が日本なのです。

日本では日産化学株式会社が２００２年に日本モンサント社より国内農薬除草剤事業を買収し、「人体や環境への安全性が確保されています」と堂々と謳って現在も販売を続けています。

かつて、レイチェル・カーソンが著した『沈黙の春』では、農薬をはじめとする化学物質を使用することで、鳥のさえずりさえも聞くことができない春が訪れると警鐘《けいしょう》を鳴らしました。日本ではいよいよそれが現実味を帯びて迫ってきているというのに、国も人々も一向に関心がないのはなぜなのでしょうか。

ま、もう関心を持っても手遅れなんですが。

がんと心臓病の発症率が、ヤバい

２０１１年の福島第一原子力発電所事故以来、この話を抜きに日本が滅亡する話は語れないと私が考えているのが放射能問題です。

「５年後くらいから病気が増えるはず」と関係者はみな語るも、当時は理解されなかったのですが、今になって病気の発症率の推移を見ていると「やはりその通りになったか」という感想を抱くしかありません。

じつは、**新型コロナワクチンのせいだと思い込んでいる病気にも、放射能の影響が垣間見えることがあるので要注意**です。

本来だったら、大人は子どもたちの身体のことを心配すべきです。放射性物質が放射線を出す能力である放射能から守らなければならないからで、放射能は妊婦や赤ちゃん、子どもや若い人などに影響が大きいからです。

ところが、あれから10年以上たった今、ほとんど誰もそのことを指摘せず、話題は新型コロナ一色であり、「彼ら」は放射能のことを忘れさせることに成功しました。そのことも含め、２０２５年に日本は滅亡するだろうと思わざるを得ません。

でも、国民のみなさんは心配するふりをしなくても大丈夫です。新型コロナの次に何かの問題が起こると、新型コロナのこともワクチンのことも忘れます。近代日本の歴史がすべて証明してくれていますから。

まず、おさえておきたいのは、**国が提示している放射能の数値はほとんどウソの数字だった、**ということです。

たとえば、大気中の放射線量を継続的に測定する装置であるモニタリングポストの設置に関する情報操作や、原子核の種類である核種を故意に選んでの測定、放射能の強さを表す単位であるベクレルと、放射線が人体に与える影響を表す単位であるシーベルトの巧妙な改ざん、世界基準との乖離《かいり》の隠蔽など、捏造のオンパレードといっていいでしょう。

そして、**放射能はさまざまな病気を増やしますが、すぐに症状が出ないのもポイント**です。過去のことを挙げれば、チェルノブイリの原発事故は5年後あたりから急速に病気が増えました。広島や長崎では、白血病で亡くなる人の数のピークが原爆投下後6～7年後だったとされています。今回の原発事故も、基本的には発生から4年たった２０１５年あたりから全国で病気が増えていて現在にいたります。

放射能による病気の症状は、年齢が低いほうがよく出ます。細胞分裂のサイクルが速いためです。最も出るのは妊婦と胎児、その次が新生児や幼児であり、その次が若年層です。年齢を重ねた大人に比べ、子どもの発症のリスクは10～20倍に跳ね上がることもわかっています。

病気に関しては、今までとは異なる病気が増えていきます。たとえば、がんでいえば胃がんと肺がんと大腸がんが三大がんとされています。これを患う人は非常に多いため、放射能の影響があってもさほど激増した印象がありません。それよりは、**今まで患う人が少なかったがんが増えている**ということです。

代表的なのが性に関するがんです。乳がん、子宮がん、卵巣がん、精巣がん、前立腺がんといったものです。それから、膵臓《すいぞう》がんや胆嚢《たんのう》がん、膀胱《ぼうこう》がんや腎臓がん。血液系の病気でいえば、リンパ腫や白血病、骨髄《こつずい》腫です。

私のクリニックにも、20～30代という若さでがんになった患者さんが訪れることが激増しました。私が医者になった22年前は、50代でがんを患っている人ですらまだ珍しい時代。それほど年齢層が上の病気だったはずのがんが、今や30代や20代でも不思議ではないくらい、若年層のがんを診る頻度が高くなっていることを実感します。

さらに、それほど増えているがんより恐ろしいのが心臓病です。チェルノブイリでも最も多いのは心臓病でした。不整脈や心筋梗塞、心不全や突然死などが頻出したといわれています。

5代目で異常のピークを迎えるという論文の真実

放射能の影響を受けた後に次の世代を産んでいった時、どのくらい異常があるのかを調べた報告があるのを知っていますか？

２０１１年の原発事故後、３年間にわたってヤマトシジミという蝶の調査をした琉球大学の論文が『BMC Evolutionary Biology』誌に掲載されています。

放射能汚染が生物にどのように影響するかを探るため、1世代が約1ヵ月と速いサイクルで生息するヤマトシジミの変化を調査。福島県の福島市、本宮市、広野町、いわき市、茨城県の高萩市、水戸市、つくば市という7地点で、春秋2回×3年間行ったといいます。

知識のない人は、「放射能の影響を最も受けるのは当事者である1世代目なのでは？」と考えるかもしれません。あるいは「放射能の影響を受けた親から生まれた2世代目の子どもたちが危ない」と想像することもあるでしょう。

ところが、ヤマトシジミの研究では、5世代目と7世代目で異常率のレベルがピークに達していることがわかりました。遺伝子変成が濃縮されていくと、ずいぶん後の世代になっても異常が発生するということです。

ちなみに、安倍元首相は２０１３年、東京オリンピックを招致する際の演説で、「汚染水による影響は完全にブロックされている」という大ウソをついています。

日本人の多くはこれをウソだと気づいていないのか、あるいは知っていても自分には関係ないと思ってやり過ごしているのか。いずれにしても**今の日本の政治家とメディアは、日本の将来を担うことを託されている子どもを犠牲にしてまで、自分たちが儲けることを考えている守銭奴である**ことには間違いありません。

もちろん、先ほどの研究はヤマトシジミのものですので、人間の場合の生物の世代時間や適応進化を考慮に入れることも重要です。ですが、２０１１年に原発が爆発してしまった以上、日本人にとっても放射能の影響は避けることはできません。チェルノブイリにおいても2世代目より3世代目のほうが病気が増えていることがわかっています。今後も放射能に関する医療被害が増えていくのは当然のことだといえます。

漁業権の外資参入が、ヤバい

「漁業権の見直しで日本人の口にまともな魚が入らなくなる」という文字が躍《おど》っているのを新聞で見かけた人もいるかもしれません。水産改革関連法案についてです。

安倍元首相の時代の２０１８年６月の施政方針演説のなかで、水産政策の改革を政府方針として位置づけ、同年12月に70年ぶりの抜本改革として改正漁業法が施行されました。

それまでの漁業権は、地元の漁協や漁業者に優先的に割り当てられていました。改正漁業法が施行されることにより、それまでの優先順位の規定を廃止し、一般企業などが参入できるよう変更になったのです。

30年前には１０００万トンを超えていた日本の漁獲量（水揚量）は、今や５００万トン以下と半減しています。減少に歯止めをかけるために、外部からの企業を参入させて、おもに養殖業の漁獲量を拡大しようという狙いが国にはある、というのが建前です。

これのどこが問題かというと、**これまで日本で獲れた魚は日本のものとして日本人が食べていたのに、これからは日本で獲れた魚であっても日本のものではなくなってしまう危険性がある、**という点です。

「２００カイリ」というのは聞いたことがあるかもしれませんが、海洋法では近海で獲れたものはその国のものになります。この法律は近海の占有権をなくしてしまうということ

世界と日本の水揚量推移

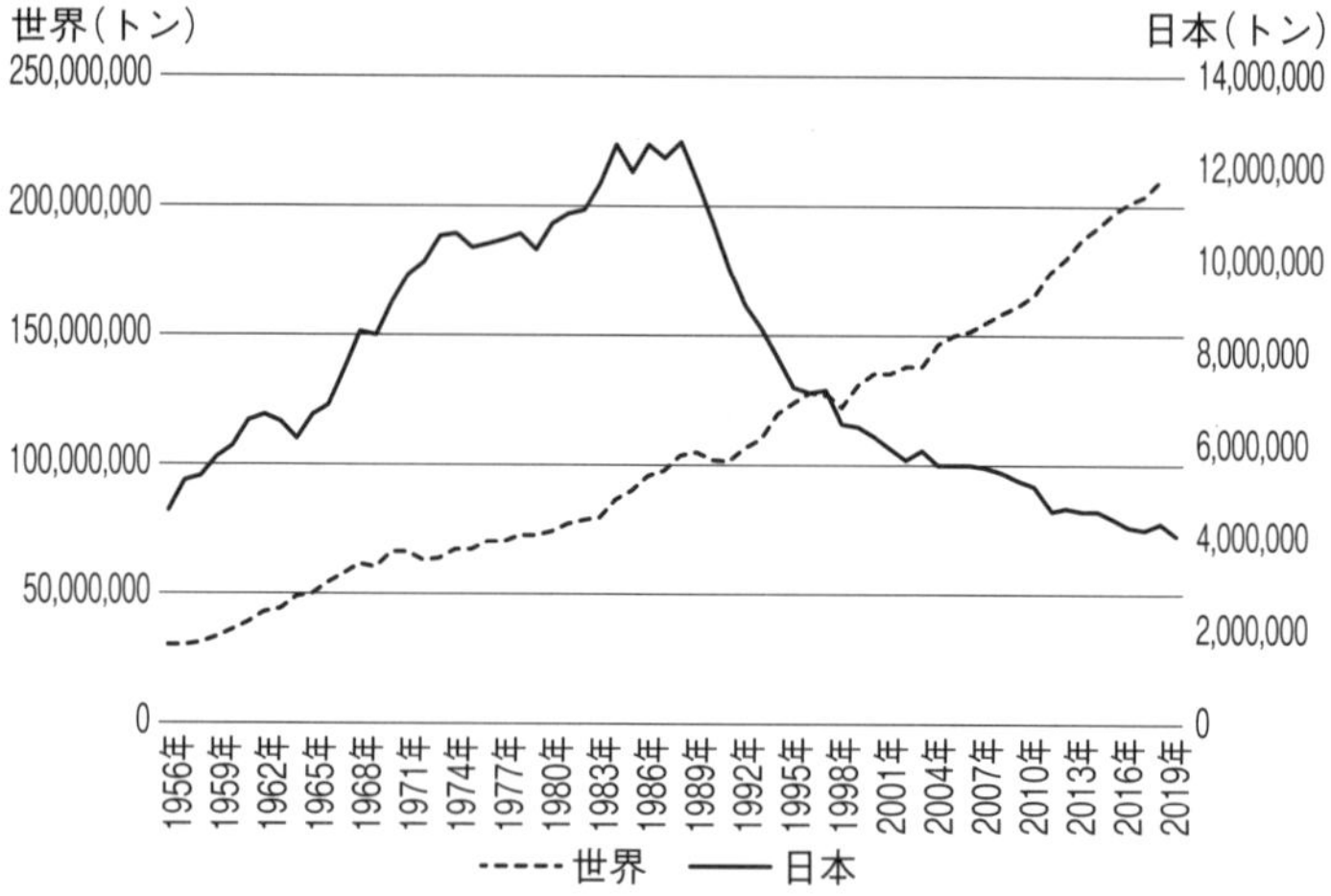

国連食糧農業機関と農林水産省データより作成

です。

　つまり、日本の各浜には漁協がありますが、外資を含む民間企業の参入が可能になることで、最終的には漁業権を入札で譲渡可能にせよ、というのです。もしそうなると、日本の近海で獲れたものであっても、日本人の許可なく、すぐに外国に持っていくことができるようになります。日本の海産物であっても、中国に持っていこうが、アメリカに持っていこうが買った企業の自由になるのです。

　それでも日本人が魚を食べたいと言い出した場合、カスみたいな魚であってもそれまでの何十倍ものお金を払って買い戻さなければならない、という状況が起こらないとも限らないわけです。

「それなら、天然の魚を獲るのではなく養殖の魚を増やせばいいのではないか」と思うかもしれません。ところが、養殖には養殖で問題があるのも事実。そしてこの法律は養殖に力を入れるという内容ではまったくないのです。

いずれにしても、今回の改正漁業法の施行が、取返しのつかない事態を招くことにならないと誰が断言できるのでしょうか。私には、日本という国を売るための政策としか思えません。

国有林の外資参入と伐《ばっ》採《さい》が、ヤバい

「国有林野管理経営法改正案」が２０１９年4月25日、衆院本会議で審議入りしました。しかし、この法案はほとんどの人には知られていません。

この法案も建前は林業の産業化、活性化を狙うということになっていますが、そうは問屋がおろしません。この法案のキモは、国有林を中心に、企業に最長50年間、森林を伐採する権利を与えるというものです。

さらに、この法案では植林は義務付けられていません。この法案により中国などの外資企業の参入が危惧されていますが、林業は許容され植林は義務付けられておらず、外資にとっては自分たちの国ではないので国有林ははげ山に化す可能性が大となります。

ちなみに、はげ山になったり放置された場合、植林にかかる費用は税金によってまかなわれることになっているのもさすがの売国日本です（笑）。メガソーラーなどと関連付けられ、いいように自然破壊されていく可能性も残ります。昨今、温暖化なのか寒冷化なのかわかりませんが、以前より豪雨などが増えていますが、これにも関係します。

自然には保水力があり、洪水などを防ぐ力を持っていますが、**土砂崩れや洪水などがこの環境行政により起こりやすくなることも危惧**されます。

吉川貴盛農相（当時）は「経営者を育成するには安定的な事業量の確保が必要」と国会答弁しましたが、とにかく事業＝お金しか考えていないことがうかがわれます。

国有林とは事業のためだけに存在しているわけではありません。むしろそれ以外のほうが役割として重要です。

自然環境の維持、きれいな水の維持は国家維持のための大原則であり、国は土地によって成り立っているという大前提を忘れています。これも水や種などと同じで、より生命に直接関与するもの、より独立に関与するものから支配していこうという様子がうかがえます。

そもそもビジネスにしたいのであれば、高級木材のもとになるものを植林したほうがよさそうですが、それもこの法律はやる気がありません。外資参入と買ってもらうことだけが前提の法律なのです。

日本の人口の減り方が、ヤバい

「陰謀論あるある」として頻繁に登場するトピックスのひとつに「人口削減が企てられている」というテーマがあります。**世界の富豪や財閥《ざいばつ》、大企業など「この世界を支配する何者か」によって、自分たちの都合のいい人間だけを残すよう、人口をコントロールしているのではないか**、という思惑です。

そうした説を支持する陰謀論者たちの根拠になっていることのひとつに、「アジェンダ21」があります。

「アジェンダ21」は、１９９２年6月にブラジルのリオ・デ・ジャネイロで開催された地球サミットで採択された、持続可能な開発を実現するために各国や関係国際機関が実行すべき行動計画、とされるものです。拘束力はないものの、今すぐ各国に取り組んでもらいたいこととして挙げた行動指針の提言といったところでしょうか。

その提言のなかにあったのが、「２０３０年を期限にした人口削減」ということでした。

要は、「環境破壊と人口過剰によって地球は持続可能が困難になるのだから、人口を5億人以下まで削減しなさい」という内容です。80億人といわれる地球の全人口を95％減らし、２０３０年までに5億人にまで選別しましょう、ということになります。


ここで出てくる**「5億人」**というキーワード。これが絶妙に陰謀論者をくすぐるものとなった背景には「ジョージア・ガイドストーン」の存在があるでしょう。

ジョージア・ガイドストーンとは、今から40年以上前にR・C・クリスチャンと名乗る謎の人物によってアメリカのジョージア州に建てられた石碑《せきひ》です。花崗岩《かこうがん》の石板が組み合わさった石碑には、全人類が守るべき10のガイドラインとして、英語やスペイン語、スワヒリ語など8つの言語でメッセージが刻まれていました。

その10のガイドラインのひとつとして筆頭に刻まれていたのが、「大自然と永遠に共存し、人類は5億人以下を維持する」というメッセージでした。ここでもやはり「5億人」という単語が突如、出てきていたのです。

本章で紹介したさまざまな要因を考え合わせると、**95％の人間が遺伝子的に滅亡に導か**

れていることもまんざら絵空事ではないように思えてきませんか？

ちなみに、ジョージア・ガイドストーンは2022年7月に、何者かの手によって破壊されています。陰謀論にはたびたび登場するモニュメントだけに、このタイミングでの破壊についてもさまざまな憶測を呼んでいるようです。

トンデモ陰謀論を支持する Qアノンとは？

ところで世の中には、自分で調べてみる価値のある陰謀論と、うさんくさく突拍子もない陰謀論とが玉石混淆です。

うさんくさい陰謀論が広まる背景には、「Qアノン」の存在があるのではないでしょうか。

Qアノンとは、アメリカの極右勢力が提唱しているとされる陰謀論とそれに基づく政治活動のことを指します。おもにSNSを通じて情報を拡散しているQアノンは、2017年に「Q」というハンドルネームで書かれた主張によってはじまりました。「世界は悪魔を崇拝していて、小児性愛を抱いた人たちによって支配されている」というのがその主張です。

これだけなら既存の陰謀論と変わりませんが、Ｑアノンの主張は、実際に証明されていない突拍子もないものが多く、引きこもりがYouTubeの動画をうのみにしているレベルのものばかりです。

たしかに世界には小児性愛者がはびこっていたり、かつて西洋に悪魔崇拝で幼児を生贄として差し出す文化があったりしたこともあります。ただし、その歴史と、Ｑアノンの主張が正しいかはまったくの別問題です。

たとえば、世界の主要な政治家の多くはすでにグアンタナモに幽閉されているとか、そこでは大半の政治家や大金持ちの死刑は執行済みだとか、世界の主要人物はすでにクローンだとかゴムマスクをかぶっているだけだとか、すべての真実が○月○日に明らかにされテレビに公開されるといいながらいつも放送されないとか、なんの根拠もないぶっ飛んだ話ばかりなのです。

このＱアノンがトランプ元大統領を神格化しているのがまた問題なのですが、こういう妄想的ヒーロー願望と陰謀論を社会理解につなげるのを一緒にしないほうがいいでしょう。

さらに問題は、**Ｑアノンの信者たちの存在が、きちんと考察したいというワクチン反対**

論者の論調を邪魔しているということです。

突拍子もなく歴史観もない陰謀論はただのオカルトであり、論理的な社会システム論になっていません。

これらとワクチン反対をつなげるのは、まともな科学的批判の否定につながります。実際に世界の大メディアは、ワクチン反対論がでたらめであることの根拠としてＱアノンの存在を使っている始末です。

ワクチンについて反対や否定をする時は、科学的根拠をいくつも提示し、それと同時に統計や研究を施す時の問題を加味して行わなければ意味がありません。ワクチンの反対や否定をするなら、基礎医学と基礎免疫学を考慮したうえで反対や否定をすべきだということです。

せめてこの本を読んでいる皆さんは、Ｑアノンとフラットアース（地球平面説）みたいな、妄想丸出しの話をうのみにするのはやめていただきたいと思っています。極端な話、「こんな腐ったことをマジで信じているアホどもがいうんだから、ワクチンが危ないとか効かないとかみんなウソだろ」などと思われる危険性をおおいにはらんでいるからです。

陰謀論というものの見方は、実感と背景、根拠があってこそ、はじめてそこに絶大な意味が生まれるものだと思っています。

激減しているのは「世界」ではなく「日本」の人口だけ

その意味では、この人口削減問題も、安直に「減っているからヤバい」というような見方をすべきではない、ということをお伝えしたいのです。

まずは事実を見極めることでしょう。

もしも、２０３０年までに地球上の人口を5億人までにセーブするのであれば、現段階ですでに激減していないと間に合わないことは明白です。にもかかわらず、世界の人口は相変わらず増え続けている現状です。このままのペースでいくと、２０５７年には１００億人を突破する勢いで増えているという予測も、国連人口部が2年ごとに行う推計で発表されています。陰謀を目論む側としては完全に失敗しているとしかいえないでしょう。

ただ、そこで安堵《あんど》してはいけないのも確かです。とくに日本人であれば、人口削減問題で気づかなければいけない重要なポイントがあります。

というのも、**世界の人口は増えているにもかかわらず、日本の人口はあり得ない減り方をしている**からです。

先ほど、２０５７年には世界の人口が１００億人を突破すると述べましたが、一方で日本の人口は同年に８０００万人を下回るという推計も発表されています。その２年前に行った調査では、日本の人口が１億人を下回るのは２０６５年としていたので、この２年間くらいでスピードを増して人口が減少していることもわかります。新生児出生数のデータでいえば、２０２１年は81万１６０４人で過去最低。国の推計より６年早く81万人台に突入し、その一番の理由は婚姻数の低下といわれています。経済的理由、コミュニケーション能力の低下から、恋愛は当然として結婚が減っているわけで、国はこれを支援する気はありません。

そして、私としては、この貧困やコミュニケーション力も問題ですが、そもそも日本人は生物として子作りする能力を失ってきていると感じます。栄養、体力、毒、精神のすべてにおいてです。

新型コロナワクチンの項でも指摘しましたが、この2年の超過死亡数は異常にもほどがあります。これが続くと日本人はこの試算よりさらに減ってしまうわけですが、こうした事実にこそ、日本人は危機感を覚える必要があるのです。

世界の人口と日本の人口を分けて考える視点を持つことは大切であり、**人口削減論ではなく日本人削減論**なのだと気づくことが必要です。

今や日本は、世界の人口減少率ナンバーワンの国となりました。高齢化や災害といったことだけでなく、この章でお伝えしたいろいろな要因が組み合わさって、予想以上に加速度をつけて人口が減っているという事態に見舞われています。これを止めるのはもう無理だと確信しています。２０２５年に日本が滅亡するというのは、日本人がどんどんいなくなるということでもあるのです。

もうお気づきでしょうか。「２０２５年に日本がなくなる」というのは、パニック映画のように日本の国土が海に沈むというような状況ではなく、国土や国民は存在していても植民地以下になり、さらに搾取と静かなる虐殺が繰り広げられる未来、ということなのです。

つまり、**日本という名前の土地に日本人の血が流れている人が住んでいたとしてもそれは少数で、大多数は外国資本の人々や中国人や韓国人があふれる国となり、思想も言動もすべて管理され、逆らうと日本の中で日本人が責められ迫害される、**そういう国になるということです。

たとえば身近に、日本人と中国人がある契約で問題が起こったとします。そして中国人が詐欺的な行為を働き、契約違反していたと仮定します。そのとき、日本が日本として成立していれば中国人は日本の法律で裁かれますが、２０２５年にはそういうことはなくなると述べているのです。多数工作、妨害、嫌がらせ、口利き、賄賂《わいろ》を含めて、法は二の次になる世界がやってきます。政治的にいえば主権がない社会です。そのような世界をつくるために、前述のシステムや法律を成立させているのですから。

第5章

食品安全神話の崩壊とTPP、スーパーシティ法案の罠《わな》

――この国だけが直面する本当の危機とは？

遺伝子組み換え食品が、ヤバい

食の情報はいい意味でも悪い意味でも氾濫《はんらん》し、毎日口にするものに対する意識を持つ人が増えていますが、**日本の滅亡を願う人たちから、食べものに関しても、より巧妙な手口で罠《わな》が仕掛けられている**ことにも気づかなければなりません。

たとえば、あなたは遺伝子組み換え食品（ＧＭＯ）について考えたことがありますか？「遺伝子組み換え食品は身体に悪そうだからできれば食べないようにしたい」と漠然と感じている人はいるかもしれませんが、「どんなふうに良くないのか？」まで調べたことがある人は少ないのではないでしょうか。

結論から述べると、日本を滅亡させたくないなら、遺伝子組み換え食品を日本からなくすことです。ただ、これはＴＰＰ（環太平洋パートナーシップ）やＦＴＡ（自由貿易協定、現在はこちらが主流）やＲＣＥＰ（地域的な包括的経済連携）が絡んでくる話なので、政治と直結する問題でもあります。

遺伝子組み換え食品の摂取によって何が起こるのか。有名なのは三大疾病であるがん、アレルギーや免疫系疾患、遺伝性疾患になります。このあたりの詳細は本書では割愛します。

　現在、すでに遺伝子組み換え食品は、海外からどんどん輸入されている状態です。農林水産省の発表によると、大豆やトウモロコシ、菜種の３種だけでも２０１９年の輸入量は約２１００万トン超。一方、米の生産量は約８８０万トンなので、米の約２・５倍の割合の量にあたる大量な遺伝子組み換え食品が加工食品や家畜の飼料として使われていることになります。

「私は遺伝子組み換え食品を買わないから大丈夫」と思い込んでいる人でも、**今の日本で普通に生活していたら、遺伝子組み換え食品が入り込んでこないようにするのは至難の業**といえます。

　たとえば、牛や豚、鶏といった肉類も、餌となる飼料はほぼ輸入に頼っている状態です。遺伝子組み換え食品そのものは食べていないつもりでも、遺伝子組み換えされた飼料を食べて育った牛や豚、鶏も、ある意味では遺伝子組み換え食品です。その肉は普通にスーパーマーケットなどで販売されていますが、「この肉は遺伝子組み換え食品の餌を使っています」とは決して表示されないのです。

ということは、**スーパーマーケットなどで安く売られている肉には、遺伝子組み換えされたものが混入していると考えるのが自然**でしょう。

ほかにも、醤油、味噌、納豆、油、豆腐、うどん、ラーメン、菓子、清涼飲料水にも、日本では遺伝子組み換えの表示義務はありません。仮に、遺伝子組み換え食品を材料に使っていたとしても、加工の段階で遺伝子組み換えを示すたんぱく質やＤＮＡが検出できない場合は表示しなくても構わないのです。

意識していなくても、遺伝子組み換え食品を身体に入れてしまっている例として、ソフトドリンクも挙げられます。

甘さを感じる飲み物には、多くの場合、「異性化糖《いせいかとう》」という物質が入っています。異性化糖とは、ブドウ糖の一部を果糖に転換したもので、砂糖液以上の甘さになります。

異性化糖の原料のうち、90％以上はアメリカ産のトウモロコシからできたコーンスターチですが、それら日本に輸入されているものはほぼすべて遺伝子組み換えされたもの。つまり、**日本のメーカーがつくった日本のソフトドリンクであっても、異性化糖が入っていれば、それはほぼ間違いなく遺伝子組み換えされた飲み物といっていい**でしょう。

ためしに、手にとった甘いソフトドリンクのパッケージの裏側に書かれている成分表を見てください。「ブドウ糖果糖液糖」あるいは「果糖ブドウ糖液糖」という文字があれば、それは異性化糖であり、遺伝子組み換えされている可能性が高いのです。

ちなみに、遺伝子組み換えされた農作物の種を90％以上独占販売しているのは、発がん性疑惑の除草剤を日本に売りつけていたあのモンサント社です。モンサント社が遺伝子組み換えされた農作物を開発したのは、除草剤のラウンドアップに耐性のある作物をつくり、「除草剤と種」というセット販売により利益を二重取りしようという目論見があったからです。そして、日本は世界で最大の、除草剤と遺伝子組み換え作物の輸入国であるのです。

遺伝子組み換え食品の新型強力版
「ゲノム編集食品」は、こんなにヤバい

遺伝子組み換えについて「ＧＭＯ（遺伝子組み換え作物）フリー、モンサントＮＯ」という考え方が世界中（日本以外）に広まり、少し時間を置いてドイツのバイエル社がモンサント社を買収して登場したのがゲノム編集食品です。この買収によって遺伝子組み換えテクノロジー企業であった「モンサント」の名が消えたことは、計算ずくの連携作戦でした。

ゲノム編集食品とは、そのものが持っている遺伝情報をゲノム編集という新技術を活用し、改変してつくられた食品のことをいいます。私はいつも、**「遺伝子組み換え食品の新型強力版がゲノム編集食品です」**と説明しています。

前述した遺伝子組み換え食品と異なる点は、遺伝子組み換え食品がほかの生物から取り出した遺伝子を加えることでつくられた食品であるのに対し、ゲノム編集食品はもともとそれが持っている遺伝子のある特定の部分を編集してつくられた食品である、ということです。

遺伝子組み換え食品とゲノム編集食品は、ほかにも決定的な違いがあります。

遺伝子組み換え食品は、どちらかというと「農家のため」という視点でつくられたものでした。たとえば、広大な畑に雑草が生えると抜くのが大変だから、ヘリコプターを使って除草剤を一斉に散布しましょう、すると雑草は生えてこないうえに、遺伝子組み換えしたトウモロコシだけはすくすく成長します、だからその日に食べても死なないけれど、確実に毒ではある除草剤と種をセットでどうぞ、というようなイメージです。

一方、ゲノム編集食品は、「消費者のため」という視点でつくられたといっていいでしょう。といっても、もちろん決していい意味ではありません。**巧妙に消費者に寄せた商**

品の謳い方をしているために、人々がだまされやすいようになっている、ということです。

たとえば、「ゲノム編集をしたトマトは買わない」と思っている人でも、「美容成分が5倍含まれているトマト」や「血圧を下げ、睡眠の質を高めるトマト」という機能性の高さを謳われたら思わず手にとってしまうと思いませんか？

実際、アミノ酸の一種であるGABAが元品種の4～5倍含まれる「GABA高蓄積トマト」はすでに存在しています。もちろん、パッケージのどこを見てもゲノム編集をしたことは記載されていません。

ゲノム編集され、筋肉が無限に増強された鯛

ほかにも、テレビのニュースで放映されて話題になったのは、筋肉が無限に増強されていく鯛《たい》でしょう。

筋肉の成長にブレーキがかからなくなった、ゲノム編集された鯛のどこが「消費者のため」かというと、可食部分が増える点です。一匹の鯛からたくさんのお刺身ができるので、高級魚をコスパよく食べることができますよね、という方向で差し向けられるようになっているのです。そして日本の外食チェーン店や回転寿司企業は、このようなゲノム編集食品を使うことを公式に発表しています。

そういえば、私が知っているゲノム編集食品のなかで、もっとも衝撃を受けたのが「動かないマグロ」です。

近畿大学が日本ではじめてマグロの養殖に成功したことが話題になったくらい、もともとマグロの養殖は難しいとされています。そこを見越してゲノム編集をしたマグロをつくったのです。

大型魚であるマグロの養殖が難しいのは、閉鎖空間の養殖に向かないのと、動いて生《い》け簀《す》を汚して死んでしまうことが多いからです。そこで、マグロなのにマンボウのようにただプカーッと浮いているだけ、エサを放ると金魚みたいにパクパク食べてまたプカーッと浮いているマグロをつくりました。そうやって大きく成長したマグロを何も気づかずにおいしく食べるような時代がもうすぐそこまできています。大丈夫です、きっと病気になりません、大丈夫（笑）。

こうした**ゲノム編集食品を見分けるコツはありません。**遺伝子組み換えについては表記がある商品もあるものの、ゲノム編集食品は新技術だから危なくないと農水省が発表しています。そのため食品表示されないのです。これも国民の無関心が招いたものですね。だからこそ、反対運動を起こそうにも「ゲノム編集食品をつくらないようにしよう」と反対するのではなく、「ゲノム編集食品であることをきちんと表示しよう」という形しか活動ができないということになります。

ここからは少し陰謀論寄りの話になります。

日本を滅亡させ、世界を自分たちで牛耳《ぎゅうじ》ろうとしている人たちは、「自分たちだけがおいしい思いをして、後の60億〜70億人は奴隷として飼っておけばいい」と考えます。

当然のことながら、奴隷にはまともな食べものを与える必要は一切ありません。だから、遺伝子組み換え食品やゲノム編集食品といった、怪しい食べものを次々と登場させては人々をだまし続けているのです。

ちなみに、今、ビル・ゲイツが「奴隷の食べもの」に投資をしているという話があるのを知っていますか？　投資しているものの正体はフェイクミートです。ヴィーガンブームに乗じ、本物の肉ではない偽物の「肉風」のものをどんどん売ることで、人々を不健康にして滅ぼそうとしているという説がまことしやかに流れています。

昆虫食もその一環だといわれていますが、人間の歴史のなかには昆虫食はたくさん入り込んでいたので、私は昆虫＝人間が食べるものではないとは思いません。むしろ、そう思う人は傲慢《ごうまん》さが極みに達しているだけで、歴史などには興味がない人だと思っています。

とはいえ、大手が打ち出す昆虫食となると、どこでまたゲノム編集されているかわかったものではありません。少なくとも昔のイナゴの佃煮や、幼虫の揚げ物と同じとは思い難いです。

遺伝子組み換えかゲノム編集によっていじられた種々のたんぱく質を活用して、肉を食べて満足させたような気にさせつつ、多くの人々を病気の奴隷につくりあげていくという戦略があるのだとしたら、日本だけでなく世界が滅んでいく日も遠くなさそうです。

ＴＰＰやＦＴＡ、ＦＰＡは、今どうなっているか？

さて次に、安倍政権時代に多数の反対があった環太平洋パートナーシップ（ＴＰＰ）協定ですが、今どうなっているかを復習しましょう。

ＴＰＰとは、オーストラリア、ブルネイ、カナダ、チリ、日本、マレーシア、メキシコ、ニュージーランド、ペルー、シンガポール、米国及びベトナムの合計12ヵ国で進められてきた経済連携協定です。

経産省のホームページから引用すると、２０１５年10月のアトランタ閣僚会合において、大筋合意に至り、２０１６年２月、ニュージーランドで署名されました。日本は２０１７年１月に国内手続の完了を寄託国であるニュージーランドに通報し、ＴＰＰ協定を締結しました。

その後、２０１７年１月にトランプ大統領が米国離脱を表明したことを受けて、米国以外の11ヵ国の間で協定の早期発効を目指して協議を行いました。

２０１７年11月のダナンでのＴＰＰ閣僚会合で11ヵ国によるＴＰＰ協定の新たな枠組みが大筋合意に至り、２０１８年３月、チリで「環太平洋パートナーシップに関する包括的及び先進的な協定（ＴＰＰ11協定）」が署名されました。

現在までに、メキシコ、日本、シンガポール、ニュージーランド、カナダ、オーストラリア、ベトナムの７ヵ国が国内手続を完了した旨の通報を寄託国ニュージーランドに行っており、２０１８年12月30日に発効しました。

また、ＦＴＡ（自由貿易協定）、ＦＰＡ（経済連携協定）ですが、こちらも経産省のホームページより引用します。

ＦＴＡは、特定の国や地域の間で、物品の関税やサービス貿易の障壁等を削減、撤廃することを目的とする協定であり、ＦＰＡは、貿易の自由化に加え、投資、人の移動、知的財産の保護や競争政策におけるルールづくり、さまざまな分野での協力の要素等を含む、幅広い経済関係の強化を目的とする協定とされます。

ＴＡＧやＧＡＴＴにおける「建前」と「本音」

これとは別に、日米間で物品貿易協定（ＴＡＧ）という言葉もあります。これはＦＴＡとは違うといわれていますが、実質的には識者からＦＴＡそのものだといわれており、ＥＰＡそのものだともいわれています。

ＴＡＧについて、日米共同声明では、「物品の関税撤廃交渉とともに、サービス分野などの自由化交渉も同時に開始する」としており、ＥＰＡと同じ内容になります。

ＧＡＴＴとは「関税及び貿易に関する一般協定」のことです。貿易の自由化促進、関税や貿易障壁を削減・撤廃していくことを目指しているといわれます。しかし、現実としては各国の利害があるため、二国間もしくは複数国家で自由貿易をたくらむが故、ＴＰＰやＦＴＡが締結されたわけです。

本来の貿易ルールでは二国間で「最恵国待遇」を供することは認められていませんが、

ＦＴＡやＥＰＡについては容認されているのです。最恵国待遇とは、ある国が対象となる別の国に対して、最も有利な待遇を受けることを現在および将来において約束することです。

最恵国待遇といえば、戦前の時期に日本が不平等条約を締結させられ、相手だけ最恵国待遇を求められるということがありました。本来は最恵国待遇というのは相互なので、相手だけ優遇することはありません。

しかし、それを真に受けるのはナンセンスというものです。本来ＦＴＡとは平等のはずですが、実質的にアメリカや中国の植民地になりつつある日本で、相手に最恵国待遇を求めるのは虫が良すぎます。昔、歴史の授業で学んだように、明治前後の時に日本は治外法権、関税自主権喪失など不平等条約を結ばされました。今後もそれと同じことが起こるでしょう。条約に平等と書いてあっても、支配者という国はいつも拒否をしてきたのです。

遺伝子組み換え食品と
ＥＰＡの知られざる関係

ＴＰＰ問題があった時、安倍政権は自動車の追加関税は阻止したいところがありました。その代わりに農業が犠牲になるといわれ続け、前述の種子法、種苗法改正案はこの準備でもあったのです。

２０１８年９月27日に、東京大学の鈴木宣弘氏は日刊ゲンダイで、

「食の安全基準も緩和させられることになるでしょう。既に米国からは緩和を求めるリストが出されています。まずは、現在生後30カ月超となっている牛のＢＳＥ検査が撤廃され、ポストハーベスト農薬（防カビ剤）の食品添加物としての表記が撤廃される。日米の協議において日本に残された唯一の戦略は、『どれから差し出すか』という順番だけなのです」

と述べています。

今でさえ最悪ともいえる日本の遺伝子組み換え食品表示ですが、じつは、２０２３年４月から遺伝子組み換え表示制度の内容が改定されることになっています。

現状、食品を買った時、遺伝子組み換えの原材料が使用されたかわかるように「遺伝子組み換え表示制度」があります。そして、２０２３年４月から遺伝子組み換えの不使用表示（ＮＯＮ－ＧＭＯ＝遺伝子組み換え作物ではない）が厳しくなるのです。

厳しくなるならいいのではないかと思う人がいるかもしれませんが、そうではありません。

今まで「遺伝子組み換えでない」等と表示していたものでも、意図せず５％以下の混入

がある場合は認められていました。これは良い意味も悪い意味もありました。流通の過程でどうしても混ざってしまう可能性があるので、それを許容するというのが良い意味です。悪い意味は、コストカットのために遺伝子組み換え作物を故意に混入する会社が出ることです。

しかし、今回の改定では、遺伝子組み換え作物が完全に混入していない限り、認められないことになったのです。

完全に混入していないものを選べるのだからいいではないか？　と思う人は甘いといえます。農業ではどうしても混入してしまう可能性があるからです。たとえば、製造や流通の段階だけでなく、遺伝子組み換え作物を育てている畑に鳥が種等を持ってくるかもしれません。もっといえば、スパイがオーガニックの野菜畑に種をばらまくかもしれません。これらはすべてNGになってしまいます。

つまり、これまではオーガニック系のスーパーで、「オーガニック系でありNON－GMOであるが、どうしても混入している可能性はある。しかし可能な限りオーガニックやNON－GMOを意識してきた食品である」というのは、遺伝子組み換えではないと表示できたのですが、これからは業者の自信がなくなってしまい表示しなくなる可能性が大だということなのです。

もっとはっきりいってしまえば、**「遺伝子組み換えではない」という表示すら消えてしまう可能性があります。**表示できたとしてもそれが大手だけになると、また多国籍企業の一人勝ちになってしまいます。

前述したモンサント社は、以前、遺伝子組み換えの種を秘密裏にオーガニック畑にばらまいて、農家を違反だと訴えることで世界中のオーガニック農家を潰してきました。

このようなことが２０２３年４月の食品表示法改正でより加速します。そして、加速させる理由はＥＰＡと農業支配を速やかに実行するためなのです。

自由貿易協定という名の不平等条約を動かしているのは誰か？

ＲＣＥＰとはこちらも自由貿易協定であり、「東アジア地域の包括的経済連携協定」と呼ばれますが、２０２０年11月15日、日本、中国、韓国、オーストラリア、ニュージーランド、およびアセアン10ヵ国（ブルネイ、カンボジア、インドネシア、ラオス、マレーシア、ミャンマー、フィリピン、シンガポール、タイ、ベトナム）の計15ヵ国が署名し、２０２２年１月１日より発効しました。

建前上は、日本にとって最大の輸出先である中国、第3位の韓国と自由貿易協定を結んだのが重要だということになります。ですが、こちらもそんな虫の良い話はなく、**中国はRCEPをきっかけにアジア地域の経済を独占しようと努めるでしょう。また、韓国にとって日本は良い「お客さん」になっていますが、それも加速することが予想されます。**

経済学者によると、ＲＣＥＰはＧＤＰだけでなく、日本の貿易総額の約5割をカバーし、ＴＰＰ11（環太平洋パートナーシップに関する包括的及び先進的な協定）を上回ると述べています。

これが儲けのタネになると日本人は勘違いしているわけですが、どれだけお花畑なのでしょう。もはや日本の技術力や経済力は下がる一方。さまざまなデータで表されていますが、そう難しくいわなくても原稿を書いている２０２２年秋〜冬の段階で起こっている円安や輸入価格高騰で、少しは実感できないでしょうか？

さて、ここまでで我々は何を考えなくてはいけないのでしょう。**自由貿易協定という名の不平等条約を真に動かしているのは、豊富な資金を持つ多国籍企業**です。権力がありカネがある企業が絶対勝つためのシステムであり、それぞれの業界が自分たちの利益について述べていることなど枝葉の話にすぎません。本質的なことは世界支配に通じる経済支配である、そのことに目を向けねばなりません。

ＴＰＰのキモは「ＩＳＤ条項」にあるといわれ続けてきました。ＩＳＤ条項とは「国家と企業（投資家）の間の紛争解決」などといわれますが、とどのつまりは「支配者たち」の傘下である多国籍企業や投資家を保護をするためのルールです。紛争仲介など最初から「彼ら」の土俵なのだから出来レースにすぎません。

米国と北米自由貿易協定（ＮＡＦＴＡ）を結ぶカナダ、メキシコでは、これまでにＩＳＤ条項を使って46件の提訴がありましたが、そのうちの30件が米国企業が原告。結果、米国企業はカナダとメキシコから多額の賠償金を勝ち取り、米国政府が負けた訴訟は一件もありません。訴訟に勝てないのですから、ひたすら相手だけが最恵国待遇となり、ひたすら無理難題と不平等を押しつけられていくのです。

これが、２０２５年の前に発効している意味がわかりましたか？

日本人労働者を奴隷にする　スーパーシティ法案

さて、国外の条約や協定ではありませんが、日本を徹底管理し植民地化させる別の法律についても考えてみましょう。

２０２０年5月27日、スーパーシティの実現を建前に「国家戦略特区法改正案」、通称

「スーパーシティ法案」が参院本会議で可決されました。

規制緩和や特例措置という建前のもと、この改正案では「国家戦略特別区域法」を大幅に改定しました。

その中身はＩＴ技術や新技術を日本の都市で実践し、最先端都市をつくり上げることを目指しているとされます。だからその名の通り、これは「スーパーシティ構想」です。このスーパーシティ構想を実現するために、国家戦略特別区域を利用することにしたのです。

国家戦略特別区域とは、経済特区のことで競争力の向上を求めています。一般的には、国家戦略特区では「解雇ルール」「労働時間法制」「有期雇用制度」の三つの雇用ルールが見直されました。

ここまでいうと、いつも通りいいことのように錯覚するかもしれませんが、そうは問屋がおろしません。雇用制度の改革と銘《めい》打《う》っていますが、家事支援の外国人労働者などこれまで例外的にしか認められていなかった外国人労働者の雇用が一気に拡大されます。

これは効率しか考えず、労働者は実質的に奴隷ととらえている大企業としては打ってつけです。そして、**この改正案が真に狙うところは、外国人労働者が低賃金であることを逆利用し、日本人の賃金も外国人労働者に合わせていこうとする流れ**なのです。

このことは、本書で前述した某政治家もツイッターでつぶやいていましたね。賃金を同じにしようというと、良いことをいってるようなそぶりができますが、彼が画策していたことももともとパソナとつるんでいる大阪都構想でしたから、意図も透けて見えようというものです。

そして、労働自体も外国頼りとする一方、ビッグデータやIT管理、AIなどを利用していくのがスーパーシティ法案の真の狙いです。じつはこの改正案にはおそろしい内容がいくつも含まれています。

たとえばビッグデータ。日本で一番ビッグデータを持っているのは公共組織、公務員組織、保険組織、地方公共団体などですが、改正案ではこのデータをデータ連携基盤整備事業者への提供を可能としています。これではデータをどう使われるかわかったものではありません。一応、自治体議会での承認と住民の合意が必要となっていますが、これまでの国の経緯を見ればどうとでもできることはわかるでしょう。

スーパーシティ法案の知られざるおそろしさ

このように、日本は世界の真似をしてスーパーシティ構想を進めようとしていますが、実際に海外ではどうなっているでしょうか？

たとえば、中国では街中の監視カメラで何か異常があった場合、自動で警察に通報されます。まるで犯罪前に捕まることをテーマにした映画のストーリーさながらです。

じつは、スーパーシティ法案可決の後押しとなったのが２０２５年に開催する大阪万博のようです。この２０２５年と大阪万博の問題は後述しますが、こんなところでも話はつながっているのです。

さて、**スーパーシティ法案の何がおそろしいかというと、人々の個人情報が同意なしに収集されるリスクがあるから**です。しかし、法案が成立した時点で、住民の意思表示や同意については具体策が設けられていません。要するに、好き勝手ができるうえ、国民が意思表示なんて忘れてしまうことを見込んでいるといえるでしょう。

そもそも２０２２年秋の段階で、政府はコロナ茶番と統一教会ニュースに紛れて、マイナンバーカードシステムと健康保険証の一体化を表明しました。この意図は健康保険証と紐づけすることで国民の健康情報も管理し、超管理主義社会をつくりたいものにほかなりません。ちなみに２０２２年３月からは、預貯金口座の情報をマイナンバーとともに登録する「公金受取口座登録制度」も開始されています。そういえば、改正感染症法とマイナンバーもくっついていましたね。

日本中でマイナンバーについて批判が噴出していますが、それは住所や生年月日などの個人情報だけでなくお金や健康情報も誰かにたれ流される可能性があるからです。そんなことはないと国や大企業は述べるかもしれませんが、これまでどれだけ情報の流出や利用がニュースになったかを考えてみてください。これは、むしろ流出することが前提で進めているのだと知らなければいけません。

　また、この法案には「国の機関等に対するデータの提供の求め」、「地方公共団体に対するデータの提供の求め」が書かれてあります。義務とまでなっていませんが、マスクを全員している日本ですから、さっさと提供してしまうのではないでしょうか。

　こうやって日本の完全奴隷化と国の消失は進んでいくのです。

第6章

改憲と緊急事態条項による完全奴隷化計画

——国民主権の根本が崩れていく

２０２２年の参議院選挙がターニングポイントだった

さて、次に最も日本人が議論を嫌い、最も自分の正義感をぶつけることしか興味のない憲法について考えてみます。なぜなら**この憲法の自民党改憲草案が、奴隷国家をつくるのに打ってつけの内容**だからです。

まずは、直近の参議院選挙から今の政治状況を振り返ってみましょう。

２０２２年7月10日に参議院選挙が終わり、自民党は63議席獲得で大勝しました。安倍晋三元首相の殺害事件の影響が出て、いわゆる同情票が増えたことも勝ちにつながったのかと考えています。

ところで、与党や維新の会を含んだ改憲派ですが、今回改憲の国会発議に必要な3分の2の議員数を超え、すでに改憲の作業に着手していると報道されています。

ここで問題にしている自民党の改憲草案は国、国体ありきで、個人の自由や基本的人権が著しく制限されています。

権力者に都合が良い内容で、古き悪しき日本に逆戻りすることを恐れる人も多いでしょう。国が戦争や崩壊に近づくといろいろな事件が起こりますが、その代表として起こされたものが安倍晋三元首相殺害事件だったかもしれません。

選挙日直前の金曜日に事件は発生し、その後のニュースは安倍晋三の話題一色、選挙前も選挙中でさえ安倍晋三の功績をたたえるような番組が放送されていました。

まさに、元首相の死亡を利用して票を集める形になっていましたが、こんなことは戦後政治の中では繰り返し行われてきました。

古くは野党が提出した内閣不信任決議案に与党が一部賛成して、国会解散になったケースがありました。衆参同日選挙が決まった後、内閣総理大臣が急死し、結果的に自民党圧勝に終わりました。香典票とも言われた大平正芳首相のケースです。

暗殺場所の「意味」と大阪万博

安倍晋三元首相の銃殺事件は伊藤博文暗殺事件のオマージュだったのではということについては前述しましたが、繰り返すと、伊藤博文暗殺事件とは、1909年、ロシアのウラジーミル・ココツェフ蔵相と会談のため、満州・ハルビン駅に向かった伊藤博文が韓国人の安重根に暗殺されたという事件です。

安重根は捕まり、裁判でも堂々と韓国のために殺したと証言していますが、本件は謎が多く、安が殺したのではないと推測されていると述べました。いわゆる歴史ミステリーというやつですね。

実は陰謀論的オマージュは、それだけではないのです。今回、安倍晋三元首相の銃殺事件があったところは奈良県の大和西大寺《やまとさいだいじ》駅前ですが、この地域は「関西五芒星《ごぼうせい》」のど真ん中に当たる場所です。関西五芒星とは何ぞやということになりますが、これは神道の聖地を結ぶと五芒星になるというものです。

具体的には兵庫県淡路市の伊弉諾《いざなぎ》神宮、和歌山県田辺市の熊野本宮、三重県伊勢市の伊勢神宮、京都府福知山市の元伊勢内宮、滋賀県の伊吹山の五つです。この中心部は昔の奈良平城京に当たり、大和西大寺駅はその中心に位置する駅なのです。

安倍晋三元首相はもともと神道政治連盟会長、本人も妻も神道に傾倒しており、ここで事件が起こったことには意味を感じざるを得ません。

さて、これらをまとめるとどうなるでしょうか。世界を戦争や軍事ビジネスに向かわせたい人々がいるのは常識ですが、自民党の改憲案は国防のためというよりアメリカや財閥の命令によるもの。権力者の権力を増し、市民の人権を抑圧し、管理と軍国と国体ありきの方向性が垣間見えます。

安部晋三元首相銃撃事件があった大和西大寺駅前

2025年大阪万博のマスコットキャラクター、ミャクミャク

私は、**安倍晋三という人は仕組まれて殺された**と思っています。生贄のようなイメージでしょうか。そしてその生贄を差し出した人々がいると思っています。

ここから先は私の完全な妄想ですが、その犯人は自民党とアメリカです。日本の終了を飾るのにこれほどわかりやすい人はいないでしょう。

そして、この関西という土地で2025年に大阪万博が行われるのは偶然ではありません。維新の会の台頭、パソナの暗躍、元首相の殺害、そしてスーパーシティ構想を連想させる万博。この万博のマスコットが「ミャクミャク」と呼ばれる、目と赤が混ざったおどろおどろしいキャラクターであることはご存じでしょう（前ページの写真参照）。ネットでも酷評されているこのキャラクターは、まさに前述したプロビデンスの目や血や複数の監視を象徴したキャラになっています。

ここまでいろいろなことが重なってそれでも偶然と思える人は、危険察知能力や確率を考える頭などすべて喪失している人かもしれません。

奴隷国家状態での改憲は危険！

では、自民党の改憲草案について考察してみます。

保守を装うものたちは、建前上、今の憲法はアメリカ押しつけ憲法だ、日本の憲法は日本がつくるのだというお題目を唱えていれば、保守層の支持が得られるという程度にしか考えていないのが現実です。

たしかに今の憲法がアメリカの押しつけ憲法であることは認めます。しかしながら、現行の憲法では国民の命と国土を守ることができないとの主張、そして自民党改憲案は壊憲であると、政治学者や弁護士などから反対され続けています。

最も大きな問題としては、**自民党改憲草案は国民を縛る内容であり、権力者に有利な内容にしかなっておらず、市民の基本的人権は喪失され、権力者を縛るという憲法の大前提が失われている**ことが挙げられます。

つまり、真の保守ともいえない問題だらけの改憲案であり、しかも２０１２年に出された案から見直しもなく、10年が経とうとしているのです。

また、**日本が奴隷国家であり、支配されているという現実から逃げています。**自民党の改憲草案がなければ中国とは戦えない、などと似非保守は述べますが、アメリカ、多国籍企業、投資家、軍事産業などの圧力を考えれば、戦争に仕向けられていくことと改憲はセットであると考えなければいけません。

仮に、国民の大多数が改憲賛成に至ったとしても、この支配システムがなくなってからでなければ改憲してはいけないと私は思います。

そもそも論として、憲法は国民を守るため、国家権力の暴走を防ぐためにあります。国を守る印象の強い「日本国憲法」というより、国民を権力側から守るための「立憲主義で日本国民を守る憲法」と考えるのが基本です。

しかし、たびたび問題となる憲法の解釈は、自民党草案でさらに緩くなっています。２０２２年、自民党は参院選の公約に「憲法改正を早期に実現する」と明記しました。改憲項目に関し、①憲法９条に自衛隊を明記する、②緊急事態条項の新設、③合区解消、④教育充実を記しています。

これらの４項目のうち、③④は一般市民に受け入れられやすく、改憲のハードルを下げようとする狙いが見え隠れしています。

①については、私自身も自衛隊は実際軍隊であるし、呼び名を変えても事実とは異なるので明記すること自体はわからないでもありません。左派政党が国民から人気がないのは、災害時や中国や韓国との国境紛争にかかわる問題で日々自衛隊が頑張っているにもかかわらず、その行動を根こそぎ否定するからでしょう。それこそ、左派政党が中国や韓国

の手先と言われるゆえんでもあります。国民はやはり何かに守ってほしいという願望を抱くものであって、その役割を自衛隊に求めるのは、歴史上致し方ないことなのかもしれません。

では、なぜこれらを考慮しても本書において私は改憲を否定するのか。その理由は自民党の改憲草案のさまざまな問題と、やはり②の「緊急事態条項の新設」だといわざるを得ません。緊急事態条項の新設があれば、さらに踏み込んだ集団的自衛権を行使できるようになります。

自民党改憲草案が成立し、緊急事態条項も成立したと仮定して、**有事に巻き込まれたら、自民党改憲草案全体の思想＝「人より国、国益と権力者の都合を優先する」という考えが浸透していくことになります。**

そして、アメリカおよび多国籍企業、財閥などで取り決められたことを忠実に実行していくでしょう。国防軍は「国際的に協調して行われる活動」を行うことができると記載され、「集団的自衛権」を認める内容になっていますから、米軍などの同盟国の軍隊が攻撃された際に国防軍が一緒に戦って防衛することとなるでしょう。

改憲案の9条の3項には「国民と協力して」とあり、改憲案前文3段と共に国民に「国防義務」を課しています。国防を最大の国益として「国防義務」と共に「徴兵制」を合憲とする動きが生まれていきます。実際には経済的徴兵制（貧困層の若者に対し、学費免除などの経済的支援を利用して軍隊への入隊を募る制度）を国は模索していくでしょう。

憲法より上位の存在であるといわれるアメリカや多国籍企業、財閥のコントロールがある限り、**押しつけ憲法だから改正するといいながら、実質は米軍の下部組織となるだけ**です。

改正の決め方についての大きな問題点

さて、憲法改正の法律は、日本国憲法第96条に定められています。日本国憲法の改正について、国民の承認に係る投票（国民投票）に関する手続を定めると共に、あわせて憲法改正の発議に係る手続の整備を行う内容となっています。詳しくは、総務省ホームページの国民投票制度の仕組みについての解説をお読みください。

https://www.soumu.go.jp/senkyo/kokumin_touhyou/

国会議員（衆議院１００人以上、参議院50人以上）の賛成により憲法改正案の原案が発議され、衆参各議院においてそれぞれ憲法審査会で審査されたのちに、本会議に付されます。

両院それぞれの本会議にて総議員の３分の２以上の賛成で可決した場合、国会が憲法改正の発議を行い、国民に提案したものとされます。

なお、憲法の改正箇所が複数ある場合は、内容において関連する事項ごとに区分して発議されます。また、憲法改正の発議をした日から起算して60日以後１８０日以内において、国会の議決した期日に国民投票が行われます。

改憲のシステムで一番問題なのは、「国民投票」制度です。なぜかというと、国民の過半数が賛成票を投じてはじめて成立しますが、最低投票率が設けられておらず、２割しか投票しなかったとしてもその２割の過半数が賛成に投じたら成立します。昨今の投票率はもちろんご存じのことと思います。

成立後は異議申し立てできる憲法裁判所などの機関が日本にはなく、憲法改正について承認を経たときは、天皇は、国民の名でこの憲法と一体を成すものとして直ちにこれを公布します。

私は、たとえば国民の９割が改憲を望んでいるという結果が出るなら、それはしたがってよいと考えています。しかし、この制度だと政治への無関心が広がる中で、集団票や組織票で憲法改正が決まってしまう、そのことが問題なのです。

改憲案は、国民の権利を著しく束縛するものばかり

それぞれの改憲案の問題を見てみます。

まず、憲法9条について武力行使の要件を明確に定めておらず、国際情勢の変化によって、今後フルスペックの個別的自衛権、集団的自衛権が認められる恐れが高く、もはや体制側の暴走を憲法で止めることができなくなります。だから、改憲反対派は軍国主義のイメージによって、これらを批判するわけです。2015年の安保法改正で体制側の憲法9条と国防に対する見解は大きく変わりましたので、改憲されることで際限がなくなると考えるのは当然かもしれません。

新聞やテレビでは、憲法改正については自衛隊に関することや憲法9条以外はまず詳しく説明しませんが、じつは改憲案はそこよりも危ない内容が多いのです。ひとつずつ紹介してみましょう。

まず、繰り返しになりますが、この草案に流れる考え方は「国民より国、国民より貴族親王族や権力者」であり、その第一が天皇制になります。私の歴史観は本書で述べる枚数

がないため割愛しますが、知りたい方は拙著『歴史の真相と、大麻の正体』（ヒカルランド）をお読みいただければと思います。

この改憲案で何よりも改憲派が入れたいのは天皇を元首にすることです。日本国憲法の第1章は天皇の条文であり、第1条に天皇は日本国の象徴として、「天皇は、日本国の象徴であり日本国民統合の象徴であって、この地位は、主権の存する日本国民の総意に基づく」とあります。これを改憲案では「天皇は日本国の元首であり」と改変しているわけです。

この案は右翼と呼ばれる人たちにとっては垂涎《すいぜん》の的でしょう。左翼のウソつきや二枚舌は大嫌いですが、この右翼の歴史認識のなさと奴隷根性はどっこいどっこいといえます。簡単にいえば王政復古主義であり、歴史上における民主主義発生の歴史、王族や独裁制の歴史を軽視しているといえるでしょう。

そのほかの改憲案についても、とにかく国民の権利を著しく束縛するものばかりです。自衛隊を軍隊化することはすでにお話ししましたが、まだそれはまともな部類です。

たとえば、第3章「国民の権利及び義務」の第18条「奴隷的拘束及び苦役からの自由」では、日本国憲法では「何人も、いかなる奴隷的拘束も受けない。又、犯罪に因る処罰の場合を除いては、その意に反する苦役に服させられない」となっていましたが、改憲案では「何人も、社会的又は経済的関係において身体を拘束されない」に変えられており、奴隷的拘束や意に反する苦役の禁止を除外しています。

イメージとしては軍国時代の強制労働がわかりやすいかもしれません。それをダメといっていないということです。これに関して改憲反対論者からは、「徴兵制」＝「本人の意に反して強制される労役」に誘導される恐れがある、ということも述べられています。

同じく第3章、第20条の「信教の自由」では、「信教の自由は、何人に対してもこれを保障する。いかなる宗教団体も、国から特権を受け、又は政治上の権力を行使してはならない」とありましたが、これが傍線部分がなくなり、「信教の自由は、保障する。いかなる宗教団体も、国から特権を受けてはならない」に変わりました。第一に曖昧《あいまい》な表現となり、第二に宗教団体は政治上の権力を行使できることになります。いわゆる政教分離の原則を逸脱しているわけです。

これは、統一教会問題で話題になっているので理解しやすいのではないでしょうか。何よりも日本には、統一教会よりも問題視されている創価学会を支持母体に持つ公明党があり、幸福の科学なども政治進出しています。これらの政治権力を押しつけられる可能性が高まります。私は「何人に対しても」という文章が抜けたのは、「日本人以外の信教の自由は保障する」に意味を変えているのだと考えています。

第3章、第21条では、「集会の自由・結社の自由・表現の自由、検閲の禁止、通信の秘密」を規定していますが、この改憲案は非常に問題です。もともと「集会、結社及び言論、出版その他一切の表現の自由は、これを保障する。検閲は、これをしてはならない。通信の秘密は、これを侵してはならない」という内容でしたが、改憲案ではこれに「前項の規定にかかわらず、公益及び公の秩序を害することを目的とした活動を行い、並びにそれを目的として結社することは、認められない」を追加新設したのです。

これははっきりいって良い意味ではありません。お国がすべての精神であり、国家権力を批判するいっさいの行為ができなくなるということを示しています。**「公（国）の意に反するものはすべて認められない」＝「完全なる独裁政治」が可能**ということです。いうまでもないことですが、集会、結社、言論、出版などはテロとはまったく別のものです。

まだまだこんなにある
改憲案のヤバい問題点

第4章の「国会」、第56条「議院の定足数、表決」では、もともと「両議院は、各々その総議員の三分の一以上の出席がなければ、議事を開き議決することができない。両議院の議事は、この憲法に特別の定のある場合を除いては、出席議員の過半数でこれを決し、可否同数のときは、議長の決するところによる」とありますが、改憲案では「両議院の議事は、この憲法に特別の定めのある場合を除いては、出席議員の過半数で決し、可否同数のときは、議長の決するところによる。両議院の議決は、各々その総議員の三分の一以上の出席がなければすることができない」となり、要するに議決の時だけ3分の1以上集まればいいと変えています。**少数の意思で進めようという意図であり、すでに昨今の閣議決定連発を加速させる考え**なわけです。

第5章の「内閣」、第66条「内閣の組織、内閣総理大臣及び国務大臣の資格、内閣と国会の関係（議院内閣制）について」の規定では、もともと「内閣総理大臣その他の国務大臣は、文民でなければならない」とありましたが、改憲案では「内閣総理大臣及び全ての国務大臣は、現役の軍人であってはならない」に変わりました。これは「退役軍人はあり」ということを示しており、いわゆる**シビリアン・コントロール（文民統制）をやめようという意思表示**です。

第6章の「司法」、第77条「最高裁判所の規則制定権」では、「検察官は、最高裁判所の定める規則に従はなければならない」だったのが、「検察官、弁護士その他の裁判に関わる者は、最高裁判所の定める規則に従わなければならない」に変わりました。検察は国家権力側になるのでまだわかりますが、「弁護士」とつけると国家権力と対立する弁護士も最高裁判所の規則にしたがえとなるので、**国に逆らう弁護士を懲戒することも可能**となります。

第8章の「地方自治」、第94条「地方公共団体の権能」では、「地方公共団体は、その財産を管理し、事務を処理し、及び行政を執行する権能を有し、法律の範囲内で条例を制定することができる」から、「地方自治体は、その事務を処理する権能を有し、法律の範囲内で条例を制定することができる」に変えました。つまり、財政管理・行政執行という文言を削除し、事務だけやっとけという意思表示で、**中央政府がすべてだといいたい**わけです。

そして第10章の「最高法規」、第97条「基本的人権」では、「この憲法が日本国民に保障する基本的人権は、人類の多年にわたる自由獲得の努力の成果であつて、これらの権利は、過去幾多の試錬に堪へ、現在及び将来の国民に対し、侵すことのできない永久の権利として信託されたものである」という文章を全文削除しました。保守系の考え方にしたがえば国民に人権があるなんておかしいというわけです。

つまり、「公益及び公の秩序」により人権が国家によって著しく制限されるわけですが、この条文を削除した理由として、自民党草案では第14条の条文との重複のためと説明しています。しかし憲法学者によると、この第97条の場所にこの文章があることに意味があるらしく、前後の憲法条文とつながっていること、そして念押し的な意味合いもあるとのことです。

とにかく、すべてにおいていえることは、**自民党や右翼の国体主義者たちは、すべてお国とそれにぶら下がった権力者を守ることしか考えません。**どんなに美辞麗句を並べたところで、それは軍国主義の時代を思い出させるものであり、中国や北朝鮮や旧ソビエトの共産主義も彷彿とさせるものです。しかし、国民が、努力もせず守られて当たり前、憲法なんて興味ねーといっているので、自分たちの好きにしてしまおうというのが彼らの思惑というわけです。

歴史が繰り返される恐れのある
緊急事態条項

続いて、緊急事態条項ですが、これは自民党が２０１２年の草案からピックアップして２０１８年にまとめた４項目のひとつです。

大規模災害により「国会による法律の制定を待ついとまがない」と認めた場合、法律で定めるべき事項を内閣が政令で定められる規定や、国会議員の任期を延長できる特例などが盛り込まれています。

体制側は、コロナ禍や相次ぐ大規模自然災害の発生等によって国民の関心が高まっているると主張していますが、実際はコロナ禍では、緊急事態が生じれば政府は私権を制限し、国民の多数派がそれを支持してしまいました。

国会も政府に協力するといって審議をしませんでした。そして、できたマスク強要、ワクチン強要の社会は、軍事国家さながらの同調意識と思考停止の国としかいえないものでした。

これがコロナではなく、自然災害の地震が起き、緊急事態条項が発令されていたとしましょう。その時、同時に国際紛争に巻き込まれた場合、どうなるでしょうか？　政治的影響力が弱い人に対する人権侵害や、政府と多数派の暴走に対して止めるものは何もなくなってしまいます。

災害対策基本法など、緊急事態に備える司法制度はすでに整備されており、災害時に法律をうまく使えるような事前準備こそが大切であること、権限を政府に集中させるのではなく、むしろ災害現場の自治体に権限を与えるべきだと私は思っています。

つまり、**もし緊急事態条項を設けるとしても、権力側を厳しく縛る内容と暴走の歯止めとなる仕組みとセットでないと、歴史が繰り返される可能性が大**なのです。

国民投票が決まってから議論、では遅すぎる

自民党の改正草案に設けられた緊急事態条項では、乱用を防ぐ仕組みはまったくといっていいほどありません。簡単に草案内容を説明すると、

- 内閣総理大臣は、法律で定める緊急事態において、閣議にかけて、緊急事態の宣言を発することができる
- 緊急事態の宣言が発せられた時は、内閣は法律と同一の効力を有する政令を制定するこ

とができる

- 何人《なんぴと》も、当該宣言に係る事態において国その他公の機関の指示に従わなければならない
- 実質無期限で内閣に権限を与える

安倍晋三元首相の国葬など、閣議決定という建前でこの数年間、どれだけ不条理なことが行われてきたか、事情通の方はご存じのことでしょう。

国家緊急権は、大規模災害や戦争などの非常事態において国家の存立を維持するために国家権力が立法的な憲法秩序を一時停止して非常措置をとる権限のことで、これを憲法に記載した緊急事態条項は戦争を想定した多くの国で存在しています。

しかし、緊急事態条項は過去にヒトラー等がこの条項を悪用して独裁への道を進んだように人権の制限など非常に危険な側面も持つため、極めて詳細に条件が規定されています。その規定が自民改憲草案には存在しません。

現代の社会システムである民主主義とは、私たちの暮らしをより良くするための最低限のルールを決めるシステムです。

その民主主義を機能させるための政治は、本来、選挙の時だけではなく普段から私たち

が自分たちで議論し、問題提起して議員を通してより良い暮らしを実現させるための身近に使えるツールのひとつとしてはじめて本来の機能を果たします。

その選挙で選ばれた国会議員が発議できる憲法改正が正しい方向へ導かれるためには、本来であれば国民側から、自分たちのために自分たち自身の力でより良い憲法に改正していく必要があります。残念ながら今の国民にその土壌はないと思います。

選挙の時だけでは民主主義が機能しないことが指摘されている今、改憲も国民投票が決まってから議論していては手遅れです。

しかも、国政選挙の時よりも、国民投票は未来に大きな禍根《かこん》を遺しかねない、民主主義の根幹を破壊してしまう恐れもありますので、普段から不断の努力で議論することが大事です。日常会話にもっと出なければならない普遍的事項なのに、日本人は本当に無関心だと思います。

仮に日本人の多くが改憲を望むのであれば、そのシステムをもっと明確にするよう強く国民が訴えていくべきですし、国民全体（一部ではなく）が賛成や反対をすることによって改憲が決定されるような、そういうシステム構築がなされてからにする必要があると思うのです。

第7章

滅亡する日本で生き抜いていくためにすべきこと

——これからのサバイバル時代をどう生き残るか

脱コロナ時代の生き方を考えよう

じつは、この本を書くずいぶん前から「２０２５年に日本はなくなる」と私は警告し続けていました。もちろん、予言や超能力といった類《たぐい》のものとは無関係です。これまで述べてきたような、医学的や社会的な観点から見た時の問題点、用意周到に積み上げられてきた法律の数々を考慮すると、やはり日本がなくなることは大げさな話ではなかったのだと確信せざるを得ない状況です。

では、自分はもとより家族や仲間、次世代を担っていく子どもたちや、そのまた子どもたちにはどんな生き残る道が残されているのでしょうか。

新型コロナウイルスのワクチンをはじめ、放射能や社会毒といったさまざまな要因から**２０２５年にはこれまでの日本という国はなくなり、植民地化していくのではないか**と述べてきました。単なる奴隷国家として、ウイグルやチベットが占領されてきたような状態になる可能性はかなり高いといえます。

その予兆は、すでに今の社会にも現れています。

「何かがおかしいのでは？」と感じても声に出せる場もないし、「なぜおかしいのか？」を学べる場もないのが現状です。それは、大人だけではなく、子どもたちも同様のことがいえます。

多くの学校では教科書に書いてあることを「とにかく、こういうものだから」と覚えさせられ、まわりと同じことをしていくように教えられるものの、これからの時代を生きていくために最も必要になる「考える力」を養う教育はしていません。

だからこそ、あらためて脱コロナ時代を泳いで渡るためには、これからの生き方を考え直すことが大切です。

では、そのためには具体的にどんなふうに考え、どんなふうに行動をしていけばいいのでしょうか。

私が繰り返しお伝えしているのは、まずは**世間でいわれていることに対し、「なぜ」や「そもそも」に焦点を当てること**です。「テレビや新聞で報道されているから」「まわりがみんなやっているから」ではなく、現実を自分の目で観察し、子どもの発想をもって、物事の本質に目を向けるようにしていただきたいのです。

起こったことの事実をとらえ、理由を考え、根幹を理解し、原因を除去する。このサイクルを回していかない限り、物事は解決しないということに気づきましょう。

対症療法と根本療法の違い

私は医師なので、「そもそも病気とは何か？」を考えることからはじめたいと思います。

一般的な病気の定義とは、「生体がその形態や生理、精神機能に障害を起こし、苦痛や不快感を伴い、健康な日常生活を営めない状態。医療の対象。疾病。やまい」、あるいは「悪い癖や行状」ということになるようです。

一方、私が現在まで行っている医学では病名がなければ病気もありません。また、困って来院する人のことも「病気を患っている」ではなく「問題がある」という言い方をしていることが多いのです。

病名をつけて「こういう病気ですよ」という認識を持つと、どうにかしてその病気を消そうという発想になるのは自然の流れです。それならまだましで、病気を自慢する人がいるのだから始末におえません。それでは根本的な解決にはなっていません。**今の状態が改善して安定することやとりあえず今の苦しさがなくなることは、「その場をしのぐ」という対症療法ではあっても、「治癒」ではない**のです。

時々、私のクリニックにも問題を抱えている子どもとその親が来院しますが、いわゆる「ダメ親」ほど、「ウチの子は○○病なんです」と口にする傾向があります。我が子に病名をあてがい、とにかくカテゴライズするしか頭にない様子がうかがえます。

このように対症療法とは目先だけ、カテゴライズだけ、楽になりたいだけ、依存したいだけ、という考え方ですが、無駄なわけではなく、緊急時や命の危険があるときにこそ効果を発揮します。ちなみに、対症療法の反対は根本療法という考え方になりますが、これは名前通り、問題の原因を根っこから解消する以外道はないという考え方です。

これは医学だけではなく、じつは政治問題や社会問題にも通じることではないでしょうか。**目先の苦痛から逃れようとするだけ、何か不都合があったらまた別の方法を試せばいいだけ、という対症療法は、問題を根幹から良くすることにはならない**と私は考えます。

もしも地球を治療しようとするならば、人間こそが地球のがん細胞であることを自覚し、がん細胞ではなくなるまで自浄しなくては、地球は復活しないのです。

「西洋医学は悪」「代替療法は善」ではない

とかく私の発信や主張をよく考えずうのみにする人は、とにかく西洋医学は怖い、西洋医学は悪だ、西洋医学はお金儲けにすぎないと考えますが、業界をよく知っている私からすれば代替療法も大差ありません。まずはこんな安直な善悪論法ではなく、西洋医学や代替療法の特徴を基本から理解することが重要です。

そもそも西洋医学は対症療法の筆頭です。救急こそ王道であり、解剖学ベースであることが長所なので、それを生かすことです。対症療法が必要になる場面は意外と少なくありません。

現代西洋医学の何が問題かというと、全員それに頼りすぎだということなのです。効果がない、逆効果で悪くしている、対症療法では良くなりようもないものに平気で使い続けているからこそ、西洋医学批判は止むことがないわけです。「いつ用いるか」によって毒にも薬にもなるのです。

一方、代替療法とは現代医学の代わりに用いられる医療です。代表的なものとして東洋医学などの伝統医学、免疫療法、分子栄養学、ホメオパシー、ハーブやアロマテラピー、オステオパシー、精神療法などがあります。そのほとんどが、古典的な医学をベースにしています。

注意しなければならないのは、代替療法に代表される治療の場合、ほとんど資格もいらないまま横行しているという現実です。

法外な値段がつけられていたり、好き勝手に効果を喧伝《けんでん》したり、効果が出ていないのに推奨され続けたりすることもよくあります。つまり西洋医学批判はそのまま表裏一体で代替療法にも当てはまるのです。

人類において完全な医療方法はいまだに存在していません。

たしかに、代替療法が古い医学を活用することによって、人間の自然治癒力や現代医学がおよばないレベルのさまざまな理論を用い、改善に努力していることは間違いありません。

しかし、あまりにも野放しの状態なので、**代替療法を活用しようとする時は、つねに懐疑的な視線を向けつつ、それがどのような結果や治癒をもたらしたかということによって判断をする必要があります。**私の病院も減断薬を謳っていますが、3割は断薬に失敗したり、来なくなってしまいます。完ぺきなどどこにもないのです。

日本の国費のなかで最大を占めるものは医療費です。医療費の増大は国家の破綻を示唆していますが、医療費を削減する方法のひとつとして、今まで述べたことへの国民の理解、西洋医学の縮小、自費診療としての代替療法の普及は大事なことでしょう。これさえも日本では期待するのが難しい状況ですが。

医療費を大幅削減する唯一の方法

これもこの国では実現不可能と思っていますが、私が思う医療費を大幅削減する唯一の方法について述べておきます。

既存の理論はすべて破綻しているのでもう述べません。私は医原病や薬害の専門家なので、その観点で述べます。拙著『医学不要論』にも書いていますが、**この世界で最も多い病気とはがんでも血管疾患でもなく医原病**なのです。詳細は割愛しますが、これをシステムに取り込むことが、医療費大幅削減には必須となります。

とはいえ、どうやって取り込むかが悩ましいところです。そこで私が提唱しているのが医療裁判の在り方を逆にするということです。

どういうことかというと、日本の医療裁判は、何かしら問題が起こった時、本人や遺族が医療ミスであったり医原病であったりを証明しなければいけません。素人であるはずの本人や遺族が医療的なことを説明しなければいけないのです。

医学の世界では医師は裁量権だけでなく、○○の問題は病気で起こった、○○の病気は偶然だったといってしまえば、どんな医原病も医療ミスもごまかすことができるシステムになっています。これが製薬会社の肥大化と巨大な医学利権を産み出してきました。医療関係者はそのコマとしてごまかし続けるしかなくなっているのです。

私は、医療裁判の意見書や出廷を何度も経験させてもらいましたが、医療界にたてつく私への攻撃や誹謗《ひぼう》中傷は裁判でも相当のものです。

素人が考えても、このクスリを飲んだから、打ったから死んだんじゃないのか？　こんなにひどくなったんじゃないのか？と思っても、それさえ会話が通じない世界なのです。残念ながら、それに疲れた私は医療裁判の支援は現在、ひっそりとしか行っていません。10数年味方などほとんどいなかったからです。社会批判論者が私を批判することも多いのです。

そんな私だからこそいえると思っていますが、これは前述のシステムが問題の根幹です。これを逆にするとは、**「問題が起こったとき、素人が医学的に医療ミスや医原病だと証明するのではなく、専門家である医者や病院や製薬会社が医原病や医療ミスではないと証明する」ように医療裁判システムを変える**ということです。そして付け加えるとすれば、裁判官のなかに医療裁判の専門家を複数人つくることです。

無理なのはわかって書いていますが、もし実現できたらすべてが変わるでしょう。業界の声としては「医療の萎縮《いしゅく》を招く」というのが出るかと思いますが、証明権の最初は医学側にありますから、彼らが正しいならルール通りしていれば萎縮する必要はないはずです。

このシステムになるとなぜ医療費が激減するかというと、危険性が高いクスリを投与する、不必要な治療を軽い病気に行う、副作用の説明をきっちりしない、死亡リスクの説明をきっちりしない……ということもすべて医学側の責任が以前より問われやすくなりますし、患者が悪くなったり死ぬリスクも考慮すると、安易に処方や治療や手術、検査や入院も含めて実践しにくくなるからです。本当に必要なものだけしょうがないという形で行われるようになるでしょう。

病院や製薬会社側は、自分たちで医原病や医療ミスではなかったと証明しなければいけませんから、悪くいうと「メンドクサイ」ことこのうえありません。圧倒的なまでに現在の過剰医療は減少することとなるでしょう。医療界はそれだけで大改革を迫られ、医療界から逃げていく人も多数出ることになるでしょう。でもそのほうが無駄な医療が減って死人も減りますし、救急に集約化しやすくなるでしょう。

ま、実現されるとは思えませんが（笑）。

日本がここまで狙われてしまう理由

本書は啓発しているように見えますが、本当に心の底から２０２５年に日本はなくなるという前提で書いています。これまでのツケがあまりにでかいので、お花畑な頭の人々が語るような妄想（にほんふっかつだいさくせ～んみたいな）は出てきません。医療裁判システムの改善でさえ無理なのだから、ほかは到底無理に決まっています。

ここからはお花畑話ではなく、なくなるという前提で何をしていけばいいのかを考えます。

まず、滅ぼそうとする大元の思想、これを「優生学」といいますが、これを学ぶ必要があります。その根幹にあるのは「我々のような優秀な民族が生き残るうえで、貧民たちは邪魔な存在でしかない」「貧民たちは家畜と同じ扱いであり、殺処分しなければならない」「地球上で支配体制を確立するためには、さらに強い統制を働かせなければならない」という考え方です。

優生学では、子どもこそ芽を摘《つ》んで潰《つぶ》す、という概念があります。日本を滅ぼそうとたくらんでいる側からすれば当然のことで、だからこそ、「生後6ヵ月の赤ちゃんにもワクチンを打ちましょう」などという、子どもを減らそうとする戦略が打ち出されていくわけです。

優生学に基づく精神性から計画が立てられて、世界中の土着の民族はすべて滅ぼされてきました。**王族貴族が跳梁跋扈する世界で、先住民や少数民族はつねに苦しみにさらされてきたのです。現在の世界はこの最終段階に入っているといえます。**フランクリン・ルーズベルト大統領の「事実上の先住民の全滅を歓迎する」という言葉は有名ですが、その最後の仕上げが日本であるとあなたは気づいているでしょうか？

日本は世界最古の先住民の末裔《まつえい》なのか？

この問いに完全に答えられる人はこの世にはいません。ある程度の証拠はあっても解けていない謎が多すぎるからです。よって、これは私の妄想ととらえていただいて結構ですが、私は**日本が世界最古の先住民の末裔である**と考えています。

有名な話では、石器などがあります。日本では群馬県の赤城山麓の岩宿で1949年に磨製石器が発見されましたが、この磨製石器は約3万年前のものになります。海外で発見された最古の磨製石器はオーストリアのヴィレンドルフ遺跡のものですが、これは約2万5000年前のものであるらしいです。

〝正史〟では、日本は大陸から人が渡ってきてから文明ができたことになっていますが、それはそもそもがウソである可能性が高いのです。日本にある磨製石器のほうが古いのでは正史は成立しなくなってしまうからです。

　これらを考えるうえで出てくる言葉が、**縄文文明**です。現行の教科書ではシュメール文明（メソポタミア文明など）が最古の文明とされていますが、縄文遺跡の姿が見えてきたことで、シュメールよりさらに古い文明であったということが考古学界に衝撃を与えています。

　縄文時代は狩猟採集だと思っている方も多いようですが、遺跡の発掘調査では日本は1万年以上前から巨大な集落をつくり、文化的な生活をしていたことがわかっています。農耕もその時代から一部行われていたこともわかっています。縄文の遺跡は数千ヵ所に及びますが、一ヵ所からも対人用の武器が出土されていないといいます。

　正確に縄文文明が何千年と表現することは難しいかもしれませんが、おそらく**縄文人は大規模な争いなど経験したことがなく、小さな集落を形成して自然と一体化した平和な暮**

らしをしていたのではないかと考えられています。これは平和主義、現代の違う言い方では〝平和ボケ〟した日本人の気質のルーツかもしれません。

モンゴロイド系先住民のルーツとは？

日本地図と世界地図を比べると驚くほどに類似性があり、日本は世界の縮図であるとする説は昔から述べられてきました。日本に現存する世界最古の文書といわれる「竹内文書」にも同じことが記載されてます。本州はユーラシア大陸に似ているし、九州はアフリカ大陸に似ているし、四国はオーストラリア大陸に似ているし、北海道はアメリカ大陸に似ているというわけです。

そもそも**既存の考古学では先住民の話はつじつまが合わない、素人的に考えても納得できない説明ばかり**です。なぜ、太平洋環内はモンゴロイド系先住民ばかりなのか、それはただでさえ遠すぎる距離なのに、クソ寒いベーリング海峡を氷河期に渡ったなどといわれているわけです。しかも、そのくせ考古学ではまだまったくの謎であるとします。謎なら渡った説から信用するのがおかしいでしょう。

日本地図と世界地図には類似性がある

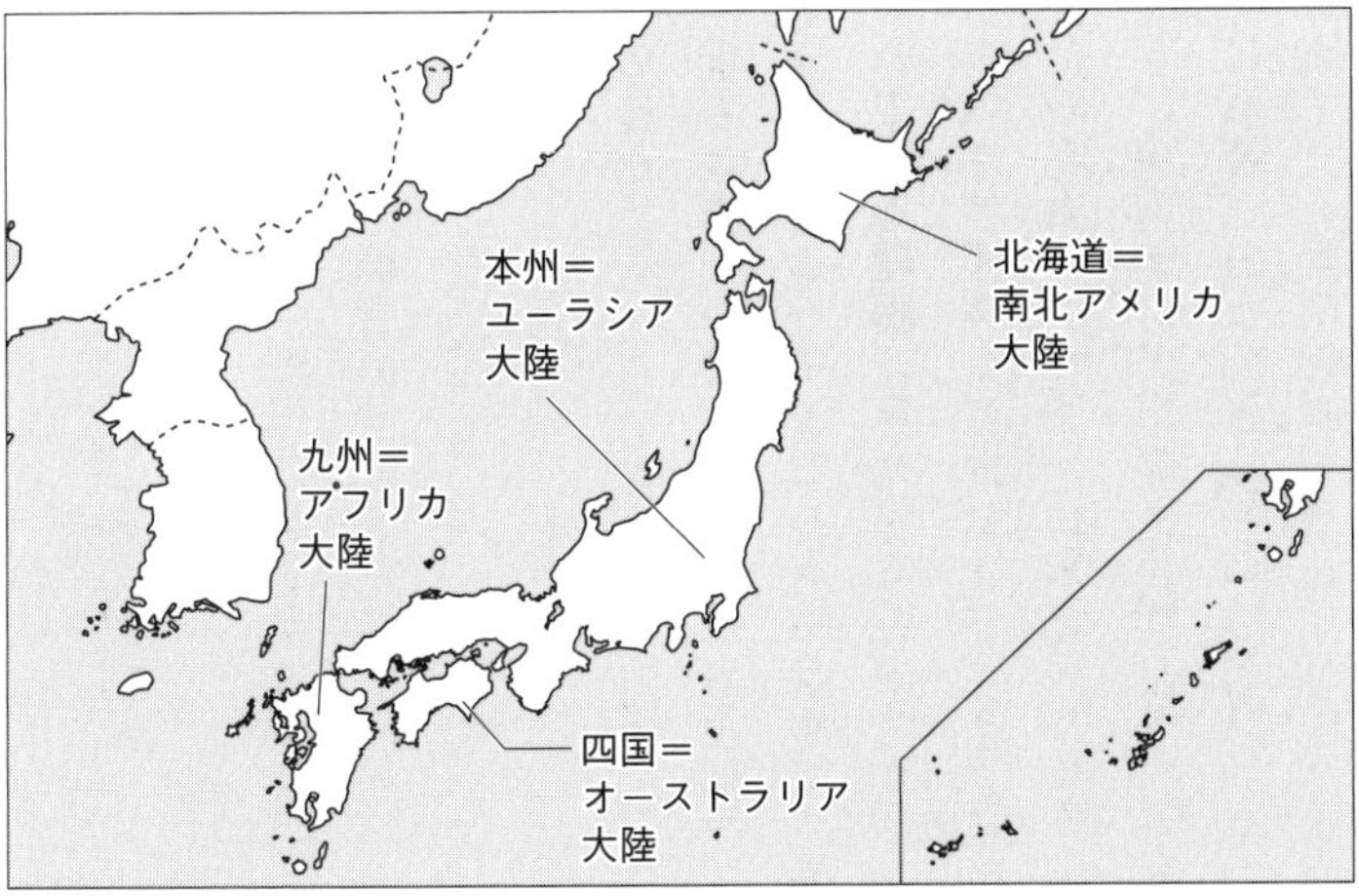

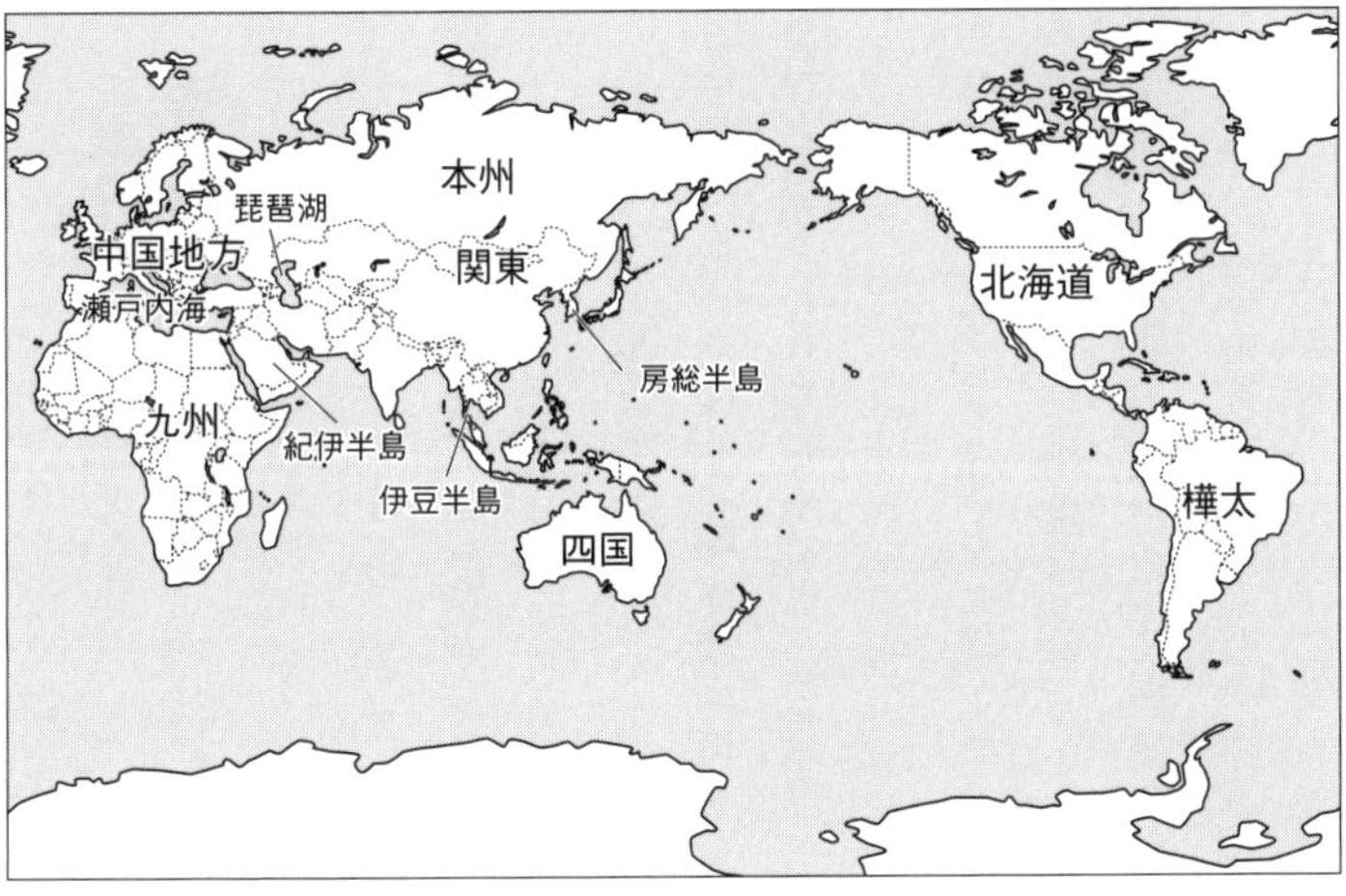

よく観察してみると、いわゆる東洋系というかモンゴロイド系先住民の思想が似通っていることに気づきます。その反対に、白人至上主義者の思想や歴史も共通しています。前者の思想の共通点はアニミズム（自然崇拝主義）、微生物文化、共生文化、平和文化ということになり、後者の思想の共通点は、文明崇拝、機械崇拝、殺菌文化、支配文化ということになります。後者の支配者たちが前述したプロビデンスの目を信奉していると考えればよいでしょう。

そのほかにもこういう話は山ほどあるのですが、本書はそれを詳述する書ではないので、拙著『歴史の真相と、大麻の正体』に譲ります。とにかく、**太平洋環内のモンゴロイド系先住民およびモンゴル人も含めて、発祥はひとつであると考えれば、日本がここまで狙われている理由が見えてくる**のです。

日本人やアイヌ人にはじまり、イヌイット、ネイティブアメリカン、インカやアステカやマヤの人々、アマゾン系先住民、ハワイの人々、ポリネシアン、琉球人、アボリジニー、マオリ、東南アジアの先住民族たち、それらはすべて侵略者たちによって滅ぼされた、もしくは滅ぼされようとしているといっていいでしょう。これらは偶然ではありません。

私は、ウイグルやチベットも同じではないかと思っています。太平洋に失われた大陸があったなどという歴史ミステリーもありますが、それが本当かは私にはわかりません。仮にあったとして、その末裔が太平洋環内のモンゴロイド系先住民たちであり、そして陰謀論的にいわれている「支配者層」がいるのであれば、その最後の標的こそ日本であり日本人なのです。まさにこれこそが優生学の大成といえるでしょう。

最後の砦《とりで》である日本は滅ぼされる！

さて、最後の砦である日本は滅ぼされると書きました。何をどうやってもこの状況を避けることはできないでしょう。日本人自身にその自覚がないのだから、期待など1ミリも持てないのは当然です。それを前提に何をすればいいか考えなければならないのか、まず私なりの答えをさせていただくなら、**「次世代に日本の真の姿と滅んだ理由を伝えよ」**ということになります。

これまで歴史のなかで滅ぼされそうになった民族、占領されたり、植民地となり動物以下の扱いを受けたりしてきた民族は多数います。

しかし、そこから復活した民族もいるのは確かです。彼らが意識していたことは、国力を強くするということよりも、国民の矜持《きょうじ》や歴史、自分たちの過去をちゃんと伝えてきたことにあるように思います。黒人やインド民族がイメージしやすいのではないでしょうか。

残念ながら日本人は死ぬということも、自然への崇拝も、見えないものへの畏怖《いふ》も、次世代にそれを受け継ぐことも、すべてを忘れ去ってしまいました。きれいごとをのたまっているふりをして、結局やっていることは目先だけ、お金だけ、認められたいだけ。

もし、**私たち日本人が復活するチャンスがあるとしたら、安直に自分たちのルーツを決めつけることなく、さまざまな情報から日本人の歴史と矜持に思いを致すことからはじめる必要がある**のではないでしょうか。

「日本の真の歴史」は本当に真の歴史？

日本人のほとんどが建国記念日や建国の歴史、建国の神話さえ知らないわけですが、その歴史や神話が本当か疑う人となれば、日本人全体に10人もいないだろうというのが正直なところです。

建国記念の日は、『日本書紀』の記述による神武天皇が即位した日に基づいて設定され、即位した日が太陽暦に直すと2月11日で、今年（２０２３年）は皇紀２６８３年にあたります。それらは『古事記』や『日本書紀』をもとにしていますが、残念ながら『古事記』や『日本書紀』が最大の詐欺《さぎ》だということは、ほとんどの人は知りません。似非右翼などは知っても逆ギレして発狂するだけです（笑）。

詳細は本書では避けますが、キーワードでいえば日本が世界で一番長い王朝というウソ、紀元前６６０年というウソ、弥生時代というウソ、空白の１５０年間、讖緯《しんい》説というウソ、大麻というウソ、そして何よりも天皇家は偉大であるというウソ。挙げればきりがなく、これらは私一人の意見というより、農耕と所有、貴族制と奴隷制、宗教と王朝等、先住民を滅ぼしてきた世界中の王族貴族たちの歴史をなぞっているにすぎません。

「日本の歴史」を裏側から学ぶことで見えてくるものがあるのです。それは、なぜ日本がこうなったかを教えてくれますし、なぜ日本がここまで狙われるのかも教えてくれます。なぜ私たち一人一人がこんなに苦しいのかも教えてくれるのです。我々は２０２５年の日本滅亡説を考えているのですから、「そもそも日本人ってなんなの？」「人間ってなんなの？」という問いを考える重要性は、さすがに理解できるのではないでしょうか。

多くの日本人、というより人類全体はこういった本質的なことを考えることが嫌いです。「面倒くさいことはNO、楽しければそれでOK!」しかないし、少々考えても自分が信じていること以外は聞きたくない生物です。大人がそんなことだから、子どもも同じように目先の楽しさばかりを追い求めてしまうのでしょう。

白人を中心とした世界の支配者層が、つねに奪い、だまし、殺し、さらっていくという行為を繰り返してきたことは歴史が証明しています。

しかし、**我々は日本人として、自分たちの歴史や自分たちの心の闇に向き合うことが、日本復活の第一歩になります。**経済、軍事、政治などの現実を語っても、思想がなければそれは砂上の楼閣《ろうかく》であり、欧米の質の悪いコピーでしかないのです。

メディアと芸能界から離れることはできるか

この歴史を裏側から学び日本人の志《こころざし》を取り戻すことの逆にあるのが、メディアや芸能界にハマるというやつです。まさに3S政策（screen［スクリーン＝映像鑑賞］、sport［スポーツ＝プロスポーツ観戦］、sex［セックス＝性欲］を用いて大衆の関心を政治に向けさせないようにする愚民政策）ですが、**日本人がテレビ、新聞、芸能界という世界観を手放せない限り、日本がない状態は永続します。**メディアこそが志をなくすための手段であり、金満の慣れの果てであることは私が語るまでもないことです。

世界で最もメディアをうのみにするというお花畑国家日本。お金持ちたちはそのことをよくわかって利用していますし、「コロナは怖い」というのも一例に過ぎないのです。しかしこれひとつとってもできるわけないのだから、希望はまったくないと私はいうのです。少々世の中の事情通だったとしても、芸能人への信仰を消すことをできている人は見たことがないからです。

資本主義社会においては、メディアの大多数が営利企業として営まれている結果、それらの企業の利潤の獲得が優先されます。伝達されている内容は低俗化、画一化されます。そのなれの果てが芸能界だと思えばよいでしょう。その一方で、共産主義社会においては、管理者の方針によって伝達も画一化、すべての人間は自分の意思を喪失し、集団にしたがうだけの奴隷となります。

このようなメディアの問題を解決するのは難しいことですが、理想論的に述べるなら方法はひとつしかないように私には思えます。

それは利益やお金と情報を切り離すということです。芸能人が情報をエラそうに取り扱うなどナメているにもほどがあります。まあ、だからといってどうやればいいか私にはわかりませんから、これは理想論になるわけです。

よくテレビを捨てればいい、新聞をとらなければいいという意見がありますが、これらも少しは効果があるでしょう。しかし、この効果は個人限定であり、日本の復活には役に立たない考え方です。

ただ、人類発祥から情報というのはとても大事なものであって、その観点からいえばすべては「ツール」であるにすぎません。事実だけが入る単純な情報システムを組む必要があるのです。

しかし、YouTubeもＳＮＳもすべて検閲されることになった現代で、国民はできることはもう何もありません。検閲はもはや序の口であり、もっと強力に見張られる時代がやってきます。

自給自足は
サバイバル時代に通用するか？

日本の不条理をなんとなく自覚している人が対策として思うことに、「自給自足して自分で食べるものをつくっていく」というのがあります。サバイバルという観点からすると良いように思えるかもしれません。実際、私も２０１５年頃まで自給自足は意味があると思っていました。しかし、最近その考え方は甘いと考えるようになりました。

たしかに、国やシステムが信用できないのだから、自分でつくって生きていくという考えは悪くありません。けれども、この自給自足という考え方もお花畑の世界観のなかで育《はぐく》まれた温室の考え方だと思い至ったわけです。理由は簡単、そんな時代がきたら権力は自給自足をこそ潰しにくるからです。

方法はこれまでにもいくつもありました。自給自足する人々をオカルトや新興宗教のように扱ってしまうのがひとつの手です。また、前述したモンサント社がやっていたように、農家を法律違反だと訴えることで世界中のオーガニック農家を潰すこともできます。

とにかく、**自給自足という考え方は、日本がなくなるという前提に立つうえでの対策としては、実は違うのだ**ということに気づかないといけません。

もうひとつは**自給自足という考え方は、テレビを捨てればいいという考え方と一緒で、自分が良ければいいという考え方に根差しています。**サバイバルの時代では自分を大事にするのは最も重要であり、その点において批判はしません。批判するところがあるとすれば、結局それはマイノリティであり、マイノリティの極致なのに自分たちの権利は守られて当然だという、慣れ切った人権主義に浸ってしまっているということなのです。日本がなくなる時代は、人権なんてないといっているのです。

繰り返しますが、自給自足が悪いわけではありません。ただし、これをサバイバル術にするためには、それをやっても大丈夫だという背景をつくることが重要です。不条理で権利のない奴隷国家のなかで自給自足程度はせめて許されるような、また、小市民としてお金と権力を持ち、同意者が多いコミュニティとなりながらもカルト感覚を感じさせない、そういう世渡りのためのずる賢さが必要不可欠だと考えています。

この状況下で
政治にどこまで期待ができるのか？

社会が閉塞感を増していくにしたがい、一部の市民はヒーロー願望のもとに一部の政治家や政治団体に救済を求めようとします。これは歴史上限りなく繰り返してきた失敗であり、誰かに頼っても社会が変わったためしはありません。結局そういう人々は、自分たちに都合がいい「王様」が出てきてくれると妄想しているのと同じです。

とはいえ、**我々は嫌でも政治から逃げることはできないのです。**日本を滅ぼす元凶のひとつは政治であり、その政治と外国勢力、多国籍企業、メディアが結託して、一部の特権者たちが得をするシステムをつくっています。容易ではありませんが、システムの根を断ち、まったく新しいシステムを立ち上げない限り、つぎはぎするだけで何も変わることはありません。

55年体制から自民党時代は永劫《えいごう》変わらず、そのため、自民党や公明党が保守であり、日本のための政党だと勘違いしている人はいまだ多いです。

実際に彼らがなしたことを見ていくと、自虐史観、殺人医学の普及、国家財政の破綻、ＴＰＰへの参加、原発戦略、国籍法変更、中国人や韓国人への留学資金無償援助の法律作成、出生率の低下など、挙げればきりがありません。さらに、昨今の話題でいえば、貧富の格差の巨大化、憲法改正の是非、国家予算の破綻推測、沖縄や尖閣、竹島および北方領土などの外交問題、日米同盟の是非、超高齢化社会、食品安全問題、教育の崩壊、増税の矛盾、年金の破綻、外国人参政権問題など次から次へと出てきます。

このような問題を羅列したとき、我々人間という種族はこれらの問題をひとつずつ解決していくしかないと考えることでしょう。

しかし、前述した根本療法の考え方からすれば、その考え方、つまり一見良いように見える発想こそが病気の永続化を招くことに気づいていないのです。といっても、人間は欲ばかりの生物なのですから、根本に目を向けることはできないため、残念ながら日本がなくなることは既定路線ということになります。

つまるところ、**政治というのは西洋医学と同じ役割しか果たせません。**無駄な存在ではありませんが対症療法としてしか役に立たない代物で、しかし人々が最も依存したいものでもあります。そういう対症療法的な観点を政治に持つことができれば部分的にうまく活用することができるかもしれない、という程度です。

私は「市民がつくる政治の会」、および「市民をつなぐ党」という政治団体を運営させていただいていますが、これをやっている過程で、日本人ほぼ全員が政治に無関心無頓着であること、口だけ威勢はいいが行動が伴わない人ばかりであること、人間に良い政治を行うのは到底無理であることを学びました。

すでに歴史が証明していることではありますが、あらためて経験的に実感するとより虚無主義に浸っていくものです。しかし、それでもやることの意味は、無駄であったとしてもその動きがコミュニティやマイノリティ脱却に向けて、少しは役に立つのかもしれないという淡い期待にすぎません。それさえも私のいうお花畑だといわれたらその通りだと思っていますが（笑）。

将来を見越した時、結局できることはあるか？

私が長年の同志として、また唯一医者として認めてきた真弓定夫先生は、「75年かけて日本の腐敗と無関心が築かれたのだから、それが反対になるまでは、最低75年かかるだろう」とおっしゃっていました。本当にその通りだと思います。

しかし、インターネットが普及した時代、ちょっと陰謀論に触れた結果、真実を知ったと勘違いし、その知識をひけらかせば世の中が変わると思い込んでいる「自称覚醒者」が増えてきました。自称覚醒者は、「目覚めれば世界は変わる」的な発想ですぐに結果を追い求めますが、そんな自称覚醒者が増えれば増えるほど、世の中が悪化してきたのは皮肉なことだと思います。

私はそんな発想を微塵も持っていません。確実に１００％日本はなくなると思っており、自称覚醒者はそれを助長していると思っています。**この本を書いた理由はそんな輩たちを満足させるためではなく、中長期的な展望をもって日本復活のチャンスを残しておくためです。**２０２５年日本がなくなるのは避けられないことが前提なのです。

そのうえで将来を見越した時、次のようなことが重要だと思っています。

- お金と権力を持ち、意欲あるものは社長になること
- ヒーロー願望を持たず頼らず、自分でこそ発信すること
- 売られる側ではなく、海外と国と大企業に売る側になること
- SNS以外のコミュニティ、日本版華僑《かきょう》的なコミュニティをつくること
- 反コロナに左右されない世界観を持つこと

　これらのことは時間がかかることばかりです。実現するのは20年や25年先になるかもしれません。映画『スター・ウォーズ』でも、数千年続いた銀河共和国は腐敗が進行し、最終的にシスの暗黒卿が皇帝となって銀河帝国ができました。しかし、銀河帝国に追随するものは後を絶たなかったのであり、それこそが人間の人間たる性《さが》だということです。

　その闇の帝国ができてから、ルーク・スカイウォーカーのようなヒーローが皇帝を倒すまでに数十年かかっています。それまでずっと暗黒の時代が続くのですが、そんななかにも反乱軍は存在します。そんなイメージを持って淡々とその時に備えるべきなのであり、この本は安直な希望を与えるための本ではないのです。

なぜ、人間は生きているのか？

現代の日本人はこんなことダサくて考えもしないでしょうが、**暗黒の時代ではなぜ自分が生きているのか考えることは、サバイバルしていくための重要な指標になります。**

まず、「では、なぜ生きるのか？」という問いに対しては、一人一人解が異なるのは当然のことですから、私がそうしたようにあなた自身も自分に問いかけてみてください。

しかし、暗黒の時代に生きると思うのなら、暗黒前の時代にあったすべての価値観を一度捨てることが重要です。

「楽しく生きることが大事だ」
「自分を否定して生きてもつまらない」
「安定した生活とお金が欲しい」
「人とうまく距離をとってうまく生きていきたい」
「生きづらい世の中でも、少し良い方法を見つけていきたい」
「自分は別に困っていないし、普通に生きている」

「自分らしく生きていきたい」

私なりに現代人がいいそうな、聞こえがよさそうな言葉を出してみましたが、残念ながらこれらの考え方こそが暗黒時代をつくりました。まだ２０２３年に生きるあなたには、「このような価値観を捨てること」を受け入れる準備はないでしょう。日本がなくなるのが２０２５年でないとしても、少しずれるだけにすぎません。その時が来ても、自分の身に影響が及ぶまで、ここに書いたことはわからないでしょう。

人間はほかの生物と違い、生きているだけで全生物に迷惑しかかけない、まさに地球のゴミ、地球のがん細胞にふさわしい存在です。少しは反省して生物に戻らなければいけないのはわかりますが、どうせできないのですから人間らしい「生々しさ」をこそ打ち出していきたいものです。

日本人がもし復活できることがあるとすれば、この生々しさを強力に持てるかどうかにかかっていると私は思います。自由・平等・博愛と、きれいごとや常識、体裁にまみれながら、自分たちが素晴らしいと思い込んでいた観念によって日本はなくなったのです。人間は誰一人として悟りなど開けはしません。仏陀も悟りなど開かないで死んでしまったのですから。

神が傲慢《ごうまん》な人間を滅ぼすなら、それを待つしかありません。神とやらが人間をこうやってつくったらしいのだから、人間の行動は神のつくった必然なのです。だからこそ、きれいごとなどいらないので、この75年、いや数千年にわたり日本が扱われてきたことに思いを致し、どう復讐するかを考える。それなくして２０２５年以降を生きていくのはおそらく無理でしょう。

復讐心は、人間が持つ根本原理のひとつ、消そうとしても消せるものではなく、良い意味でも悪い意味でも強力な力を発揮します。そもそも、強く復讐心を自覚し復讐を果たそうとしてさまざまな行動を起こさない限り、きれいごと論者がいう意味での「復讐心から脱却」することさえできないのです。復讐心を捨てたと口でいう人間ほど、内面ではいつも復讐心のとりこになっています。

偉大なる目的があれば基礎と基本を身に着けたぶれない軸を持ちやすくなるでしょう。日本人は復讐心を自分たちの偉大なる目的につなげることができるでしょうか。どんな暗黒時代であっても、その偉大なる目的こそが生き残るための唯一の道しるべになるのではないかと私は信じてやみません。

おわりに

これまで私は40冊以上の本を書いてきましたが、その「はじめに」と「おわりに」は私自身のことや家族のことを書いてきました。しかし、この本は終末の預言書的な内容であり、「はじめに」に私のことを書いていても深刻さは伝わらないので、「おわりに」のほうで二倍書くことにしました。

本書は現実的な内容を多く含んでいますが、未来予想的な本であり絶対的なまでに絶望的な本です。だからこそ、虚無主義的な思考を持つ私としても気に入った本になるかもしれません。本書を書いていると昔に書いた本を思い出します。とにかく私が書いた本はたくさん売れたとしても、受け入れることができる人は少なかったのです。

『精神科は今日も、やりたい放題』（PHP研究所）は、業界だけでなく、精神科患者とその家族に強力な反発をもたらしました。『医学不要論』も、業界だけでなく医学信者たちにとって認めるわけにはいかない本でした。『心の絶対法則 なぜ「思考」が病気をつくり出すのか？』（ユサブル）は、一般人の心をこそ傷つけるらしく、そういう人たちは反発するというよりわからないという言葉を吐くほうが多かったです。そして『医者が教える新型コロナワクチンの正体』は、日本社会やアメリカの大会社にまで反発を招いてしまいました。

私が「世界一の嫌われ医者」と自称しているのは、こんなことがずっと繰り返されているからですが、人類という生物は例外なく、自分が信じているものを崩されることを許さないのです。人間にほんの少しでも正義があれば、こんな地球、こんな国にはならないはずですが、そんなことを思い浮かべる頭は人間にはありません。不都合を指摘してしまうから、私の論説は人類の耳に触るのでしょう。

私の論説への反発や、嫌われ医者のままでいるのは良くないと多くの人が助言してくれます。若干辟易《へきえき》していますが（笑）、虚無主義になりたい自分となり切れない自分がいるので、それも一理あるのでしょう。

そういえば２０２２年は、私自身のドキュメンタリー映画『内なる海を見つめて』も制作されました。ドキュメンタリーを撮られるような年寄りではないはずですが、私のイメージを変えたいという作り手の心理の表れかもしれません。確かに映像だと私はいい人に見えてしまいます（笑）。

ドキュメンタリー映画についてはよく聞かれるので情報を掲載しておきます。
詳細はこちらのリンクよりお願いします。

https://www.reservestock.jp/page/index/38652

さて、映画では自分の心の闇に向き合う重要性を描いているのですが、日本のことを書くときは日本人の心の闇を書かねばなりません。自虐史観という言葉があるように、日本人は自分のことがスバらしく、自分たちの国がスバらしいと思い込みたい、コンプレックスまみれの国だと私は思います。

私は兵庫生まれの土着の日本人で、ルーツを考えるなら名字の通り海にかかわった一族なのかもしれません。そんな人間が、日本がなくなることを書くとどんな反発が出るか、想像するだけでワクワクします。

ネットではアホくさい陰謀論で今でも盛り上がっています。私が一般人に都合の悪い話をするだけで、すぐに日本の裏切り者だの、在日だの、金融資本の手先だの、挙句の果てには池田大作の隠し子なんていう、噴飯もののお笑い話が出てきました（笑）。

しかし、この都合が悪ければ叩く、悪に落とし込むという精神こそが日本人の特性であり、もっといえば人類の特性であると確信しています。これは支配者が教育したからこうなったのではありません。まさに人類の本質なのだと確信しているのです。

本書の内容に対して「そんなことはない、日本は素晴らしい国だ」と否定してみても、目の前にある現状は変わらないのです。仮に日本人が素晴らしかったとしても、そんなものは数千年前の神武天皇以前の話なのです。侵略者を賛美し、自分たちの奴隷根性に酔いしれ、外殻＝日本という体裁で威張っている暇があれば、一人一人こそが偉大な力を持つ可能性を思い出さないといけません。

なぜ、先住民最後の砦である日本人は可能性を失ってしまったのか。それをアメリカのせいにする人がいますが、ことはそう単純ではないのです。

たしかに戦後教育は日本人から考えることを奪い、記憶中心で目先の利益中心であるように誘導してきました。しかし、本質的には周囲のせいにする、誰かのせいにすることのほうが問題が大きく、日本人こそがその依存心と被害者意識、正当化の精神によって今の状況をつくってきたのです。

私は精神療法の専門家ですが、依存心と被害者意識と正当化は表裏一体の精神です。自分が被害者でなければいけないという意識は人間の深層心理の原点のひとつであり、日本は被害者だと思うことがより問題解決を困難にしていきます。被害者意識は自分の立場を高めるためであり、自我のヘボいプライドを守るためであり、そこから日本はこんなにスバらしい国で、日本人はこんなにスバらしい民族だという似非保守系の自画自賛がはじまったのです。

これをこそアメリカ、支配者層、管理者たちが築き、日本人に刷り込んできたのだと日本人は気づくでしょうか。おそらく無理でしょう。ネットで陰謀論は不都合な情報なのではなく、むしろ支配者たちに都合がよいからこそ垂れ流されています。陰謀論のかなり多くの概念は、人類という生物種がつくった壮大な被害者意識であるといえるからです。

たしかに財閥や投資家、超富裕層や金融資本や多国籍企業が、自分たちの利益のためにさまざまな問題を起こしてきました。それを貧民たちがネット内で「あいつらのせいだ、あいつらのせいだ」と騒げば、その場は気持ちいいのかもしれません。

しかし、彼ら支配者層こそがそれでは問題は解決しないことを理解しており、人間が現実を直視せず、被害者意識の虜《とりこ》になっていくことを計算しているのだと私は確信しています。

何がいいたいかというと、日本人ネット層が飛びつきそうな、正義は勝つとか正義は満たされるとか、正しさを主張するという行為こそが、誘導されている精神性であり、じつは最も幼稚な行為であって、日本の復活を妨げるものだとここでは述べているのです。

自分たちのやってきたことから目を背け、日本はこうあるべきとか、困った人たちの声は聞かれるべきだとか、フリーメイソンがいいそうな自由とか平等とか博愛とか……それらが人類も世の中も変えないばかりか、支配者の都合よい世界に進める手段であることを彼らは知っているのです。

人間、特に日本人はこれを直視することができません。刷り込まれた75年のお花畑感覚は、日本がなくなっても永続していくことでしょう。

だからこそ私がいいたいのは、せめてこの本を読んだ人はそのお花畑感覚を捨て去ってもらいたい。現実を見られないのは本当の日本人が持っていた直視能力がなくなったからであり、安いプライドに身を任せるのが当たり前になったからです。

自虐史観で説明したほうがいいでしょうか？　自虐史観はアメリカや中韓が刷り込んだものであり、愛国心を消すための手法だと思われていますが、そもそもその発想がだまされているのだと誰も気づきません。違ういい方をすれば、古き日本人、日本人らしい心を持っている日本人は、古くから自虐的な民族であり自虐的な考え方を持っていたのです。

たとえば、「お天道さまが見ている」も自分がダメという発想が前提になっています。武士道の恥もハラきりの精神も、自虐的考えが強くなければ文化たりえなかったのです。

日本人が自虐的考え方を持てなくなったからこそ、自虐を反転して力に変えることができなくなったため、日本の衰退と滅亡を招いたといっていいでしょう。自分たちが本当にどうしようもない民族であり国だった、と考えられなければ、それを改めようと思うはずもなく、日本の復活などありえません。ただ自然と向き合っていても日本の復活などありえません。天皇崇拝などしていても日本の復活などありえません。政治の右派も左派もすべて奴隷であり、結局のところ自分良ければすべて良し、自分たちこそ素晴らしい正義であると、傲慢にうそぶいているだけです。

逆にいえば、この思想を日本人の多くが持てない限り、米中韓の日本支配がなくなることはあり得ませんし、真の意味で米中韓とうまく付き合っていくこともできないでしょう。

安直な精神性から日本がスバらしいとばかりいい募《つの》り、ただひたすら在日あたりを盲目的に敵視していても、それはたしかにヘイトの域を抜けることはないでしょう。ご近所付き合いでも隣の家と仲良くできないのはむしろ当然であり、しかしそれでもうまくご近所付き合いしていかないといけないのです。

日本がモンゴロイド系先住民の誇りと歴史を取り戻し、大陸アジアとは一線を画す思想を持ち、その違いを際立たせながら一切迎合することなくうまく付き合っていく。アメリカや多国籍企業の支配から脱却するなんてのは当たり前の話であって、双方からの独立と何よりも自我の軸を圧倒的なまでに強めること、それが日本が再生する唯一の可能性でしょう。

この本が、何かしらそれを考えるきっかけになればと願っています。

最後にこのような日本をつくり、自分の子どもにも引き継ぐことになってしまうのを申し訳なく思います。

妻はある程度の共有認識を持てていると思いますが、中学生の娘はまだそこまでの感覚は持てないかもしれません。もう少し時代が進んだ時、この本が娘にとって時代の理解につながり、なんらかの道しるべになってくれれば幸甚《こうじん》に思います。

内海 聡

写真提供：共同通信社（P73上・下、P75上、P 175上・下）
Wyld Adrian/CP/ABACA/共同通信イメージズ（P75下）
VCG/ゲッティ/共同通信イメージズ（P77上）
アフロ（P77下）

2025年日本はなくなる

2023年2月20日　第1版第1刷
2023年2月23日　第1版第2刷

著　　者　　内海聡
発 行 者　　伊藤岳人
発 行 所　　株式会社廣済堂出版
〒101-0052
東京都千代田区神田小川町2-3-13 M＆Cビル7F
電話　03-6703-0964（編集）03-6703-0962（販売）
Fax　03-6703-0963（販売）
振替 00180-0-164137
https://www.kosaido-pub.co.jp/

印刷・製本　　三松堂株式会社

本文DTP　株式会社明昌堂
ブックデザイン　山之口正和＋沢田幸平（OKIKATA）
編集協力　山口佐知子

ISBN978-4-331-52384-1 C0095